Diogenes Taschenbuch 22428

Erich Hackl

Abschied von Sidonie

Erzählung

Diogenes

Die Erstausgabe erschien 1989
im Diogenes Verlag
Umschlagillustration: Ernst Ludwig Kirchner,
›Sitzendes Mädchen, Fränzi‹,
um 1910 (Ausschnitt)
Copyright © by Dr. Wolfgang und
Ingeborg Henze-Ketterer,
Wichtrach/Bern

Veröffentlicht als Diogenes Taschenbuch, 1991
Alle Rechte vorbehalten
Copyright © 1989
Diogenes Verlag AG Zürich
www.diogenes.ch
100/08/8/24
ISBN 978 3 257 22428 3

Man sieht nur, was man nicht berührt.
All das sahen wir:

Carlos Martínez Rivas,
›Die Augenzeugen‹

Am achtzehnten August 1933 entdeckte der Pförtner des Krankenhauses von Steyr ein schlafendes Kind. Neben dem Säugling, der in Lumpen gewickelt war, lag ein Stück Papier, auf dem mit ungelenker Schrift geschrieben stand: »Ich heiße Sidonie Adlersburg und bin geboren auf der Straße nach Altheim. Bitte um Eltern.«

Der Mann, ein gewisser Mayerhofer, grau, schlank, 63 Jahre alt, hatte im Zimmer hinter der Portiersloge, das ihm als Dienstwohnung zugewiesen war, geschlafen, ehe er, kurz nach Mitternacht, hochschreckte. Ihm war gewesen, als habe er die Torglocke schellen gehört. Sicher war er sich nicht; schon mehrmals in letzter Zeit hatte ein schrilles Läuten seine Träume zerrissen, war er aufgesprungen und zum Portal gelaufen, hatte aber erkennen müssen, daß ihm sein überreiztes Gehör einen Streich gespielt hatte. Deshalb blieb er jetzt noch halb aufgerichtet auf seiner Pritsche sitzen und horchte in die Dunkelheit. Es blieb still. Trotzdem entschloß er sich endlich, Nachschau zu halten. Mayerhofer stieß die Decke von sich, schwang seine Beine über den Bettrand und tappte im Finstern nach den Schuhen. Etwas vornübergebeugt, den eckigen Kopf zwischen die Schultern gestemmt, so schlurfte er in den Flur, wo das Nachtlicht brannte, spähte durch die Scheiben hinaus auf die Auffahrt, öffnete und trat ins Freie.

Am Abend war ein Gewitter über der Stadt niedergegangen, das nach einer langen Hitzewelle die ersehnte Abkühlung gebracht hatte. Aber zur Sperrstunde, um zehn Uhr, hatte der Regen bereits nachgelassen. Jetzt waren die Pflastersteine der Rampe, auf der die Krankenwagen bei Bedarf hielten, bis auf die Ränder schon wieder trocken. Vom Westen her wehte ein kühler Wind. Den Mann fröstelte; er hörte keine Stimmen, nur das Rauschen der Blätter, sah nichts als den hellen Streifen der Straße, konnte die Wipfel der Bäume dahinter kaum ausmachen und glaubte sich in seinem Verdacht, einer Sinnestäuschung erlegen zu sein, bestätigt. Mißmutig drehte er sich um.

Das Bündel lag im Windfang rechts neben der Tür, im toten Winkel der Portiersloge. Mayerhofer begriff nicht gleich, bückte sich schwerfällig, lief dann zurück ins Gebäude, in den Händen nichts als den Zettel, den er hilflos schwenkte, während er, nun schon an der Glastür zur Krankenabteilung, die Nachtschwester rief.

Das Kind war von einer heimlichen und doch lebhaften Schönheit, ein schwarzer Flaum beschattete das dunkle Oval des Gesichts, dem die dichten Brauen über den verkrusteten Augen eine seltsam ergreifende Fremdheit verliehen. Der Arzt, den die von Mayerhofer aufgeschreckte Krankenschwester aus dem Schlaf riß, zweifelte keinen Moment lang, daß Zigeuner das Mädchen weggelegt hatten. In den Auwiesen der Steyr unterhalb des Spitals, gleich hinter der Straße, sah man immer wieder ihre Wagen stehen, bunte Wäsche dazwischen gespannt, nachts den Schein von Feuerstellen, und nur wenige Kilometer weiter westlich, neben der Straße nach Sierning, befindet sich eine Anhöhe, die noch heute Zigeunerberg heißt, weil in ihrer Mulde fahrendes Volk ein, zwei Nächte lang Station machte, ehe es von den Sierninger Gendarmen wieder verscheucht wurde. Es wäre also der Kindesmutter, oder einer anderen Person ihrer Sippe, ein leichtes gewesen, sich nachts ungesehen dem Krankenhaus zu nähern und das Schicksal der Neugeborenen der Fürsorge anderer zu überantworten.

Die Nachforschungen des Steyrer Jugendamtes verliefen vorerst im Sand. Dabei wurden sie alsbald mit einer Hartnäckigkeit durchgeführt, die sich durch Rückschläge nicht beirren ließ. Diese Geschäftigkeit entfachte ein Anruf aus Wels, neun Tage nach Auffindung des Mädchens, in dem sich eine Adlersburg, Anna, nach eigener Aussage die Kindesmutter, nach dem Befinden der kleinen Sidonie erkundigte. Auf den Vorwurf des Verwalters, daß sie ihre Tochter auf Gedeih und Verderb ausgesetzt habe, erklärte sie, völlig mittellos zu sein und keinen anderen Weg gewußt zu haben, um dem Mädchen zur notwendigen Behandlung zu verhelfen. Sie wolle Sidonie wieder zu sich nehmen, sobald es ihr die Umstände erlaubten. Freilich sehe sie sich außerstande, für die Kosten der Spitalspflege aufzukommen. Der Verwalter des Krankenhauses nahm ihr das Versprechen ab, daß sie das Kind Mitte September persönlich abholen würde, und versicherte ihr, es werde aufs beste für die kleine Patientin gesorgt.

Am fünfundzwanzigsten September meldete sich die Frau erneut, dieses Mal ohne Angabe ihres gegenwärtigen Aufenthaltsortes. Weil sie selbst erkrankt sei, könne sie ihr Kind vorläufig nicht zu sich nehmen. Nähere Angaben zu ihrer Person verweigerte sie, ließ sich im Gespräch mit dem Verwalter, einem promovierten Altphilologen, der seiner Arbeit mit größter Sorgfalt nachging, aber doch ein paar Aussagen entlocken, so zu ihrem Beruf (sie schlage sich als Hausiererin durch) sowie den Namen und das Gewerbe des Kindesvaters: Robert Larg, Pferdehändler.

Sidonie litt an der Englischen Krankheit, einer mangelhaften Verkalkung des Knochengewebes. Ihre Beine waren nach außen gekrümmt, die Gelenke an Armen und Beinen verdickt, und der Arzt schärfte den Schwestern ein, dem Mädchen eine vitaminreiche Kost zu verabreichen, auf frische Luftzufuhr zu achten und das Bett bei jeder Gelegenheit in die Sonne zu stellen. Dabei wußte er, wie nutzlos und lächerlich solche Anordnungen in einer Stadt klingen mußten, in der chronische Leiden die Regel waren. In Steyr herrschte bittere Not. Jedes zweite Kind in den Baracken der Ennsleite und entlang des Steyr-Flusses, an dem sich im vergangenen Jahrhundert eisenverarbeitende Betriebe angesiedelt hatten, litt an der gleichen Krankheit oder an Tuberkulose. In den Steyr-Werken, die vier Jahre zuvor über sechstausend Beschäftigte aufwiesen, arbeiteten 1933 nur noch knapp 1400 Personen. Von den 22 000 Bewohnern der Stadt nahm im selben Jahr jeder zweite öffentliche Hilfe in Anspruch. Die Hälfte aller Einnahmen veranschlagte die Gemeinde für Fürsorgezwecke. Bereits 1929 hatte sich die Stadtverwaltung außerstande gesehen, das erst dreizehn Jahre vorher fertiggestellte Krankenhaus, in dem Sidonie Adlersburg erste Hilfe gewährt wurde, zu erhalten; man mußte es zusammen mit dem kleineren St.-Anna-Spital um 750 000 Schilling an die oberösterreichische Landesregierung verkaufen.

Gelegentlich fielen Reporterschwärme über die Stadt her, abgebrühte Korrespondenten ausländischer Blätter, Spezialisten auf dem Feld der Elendsmalerei, die halbgerauchte Stummel auf das Pflaster schnippten und zusahen, wie sich Arbeitslose darum balgten; junge, feinfühlige Redakteure von Arbeiterorganen, die, mit Schirmmütze und fadenscheiniger Jacke mehr kostümiert als getarnt, ein dumpfes Schuldgefühl beschlich, wenn sie in der öffentlichen Ausspeisungshalle saßen und die Leute ringsum beobachteten, die eingebrannten Kohl aus der Menageschale löffelten. Die gut Informierten kamen am Freitag, den die Gemeinde zum Betteln freigegeben hatte; an diesem Tag gab die Stadt ihre Armut unverhüllt preis, wälzte sich ein Menschenstrom über Grünmarkt und Stadtplatz, verzweigte sich in die umliegenden Gassen, riß vor Geschäftslokalen ab, deren Inhaber als großherzig und wohlhabend bekannt waren, und schwoll vor den Brücken über Enns und Steyr wieder an. Seine Wogen umspülten die Stände und Karren der Bauern aus der Umgebung, die beharrlich ihre Butterstriezeln und Speckseiten lobten, ehe sie am späten Nachmittag unverrichteter Dinge zurück auf ihre Höfe fuhren, wo arbeitslose Schneidergesellen, Zimmerleute oder Dachdecker ihre Dienste anboten.

Immer wieder kam es zu Hungerdemonstrationen auf dem Stadtplatz. Die Kundgebungen endeten damit, daß der sozialdemokratische Bürgermeister Sichlrader auf den Balkon des Rathauses trat und den Demonstranten versprach, bei den zuständigen Stellen mit der Bitte um Sonderauslagen vorstellig zu werden. Von der Regierung wagte sich keiner mehr nach Steyr, seit der damalige Bundeskanzler Schober im März 1930 in der Stadt der Not, des Elends, der Armut und des bittersten Jammers, wie Sichlrader zu seiner Begrüßung gesagt hatte, mit den Rufen »Bluthund!« und »Arbeitermörder!« und wilden Tumulten empfangen worden war.

Von Sidonies Mutter kam kein Lebenszeichen mehr. Weil es nicht länger spitalsbedürftig war, wurde das Kind dem Jugendamt zur weiteren Veranlassung übergeben. Dem Magistrat war daran gelegen, die Eltern, genauer: deren Heimatgemeinde, möglichst rasch ausfindig zu machen; nicht um Sidonie ihren Eltern zuzuführen oder diese strafrechtlich zu belangen (das auch, gewiß), sondern um die Pflegekosten auf eine andere, weniger verschuldete, weniger ruinierte Gemeinde abzuwälzen.

Unverdrossen richtete der Magistrat Steyr, Berufsvormundschaft, anfangs lakonische, dann immer umfangreichere, fast flehende Schreiben an die Gemeindeämter von Altheim, St. Laurenz, Karlstein, Ollersbach, Viehofen, Kremsmünster, an das Landes-Gendarmeriekommando Salzburg, die Niederösterreichische Landes-Berufsvormundschaft Waidhofen an der Thaya, die Postenkommandos in Pinsdorf und St. Pölten, das Bezirksgericht von Raabs, an die Gesellschaft für Internationalen Jugendrechtsschutz in Brünn, schließlich über die Bezirkshauptmannschaft Braunau am Inn nochmals an das Gemeindeamt Altheim mit der inständigen Bitte *um dringliche Erledigung der Sache, da vom Magistrate Steyr infolge finanzieller Schwierigkeiten für das Kind weiterhin Pflegebeiträge nicht mehr geleistet werden können.* Alle Bemühungen waren umsonst. Plötzlich widerrief ein Amtsschreiber seine frühere Mitteilung, wonach an der Landstraße in seinem Gemeindegebiet ein Zigeunerkind geboren sei, hatte ein Pfarrer das Taufregister verlegt, waren die gesuchten Kindeseltern unbekannten Orts verzogen, konnte man ihrer nicht habhaft werden, lag keine Veranlassung vor, wurde von der Sachlage h.o. nichts bekannt.

Um wenigstens die Kosten eines Spitalbettes einzusparen, beschloß die Fürsorgerin des städtischen

Jugendamtes, das Mädchen umgehend in Pflege zu geben. Sie nahm die Liste mit den Vormerkungen aus dem Aktenschrank und ging Namen für Namen durch, wobei sie die gesicherte materielle Existenz der Bewerberinnen, noch vor dem Leumund, als oberstes Kriterium in Betracht zog. Ihre Wahl fiel schließlich auf Amalia Derflinger, Schlossergattin in Steyr, Schillerstraße 51, die sich das Kind am sechsten Oktober anschauen ging. Angetan von dem, wie sie es nannte, drolligen Wesen der Kleinen, holte sie Sidonie am nächsten Tag ab und erklärte sich bereit, das Kind bis auf weiteres zu behalten.

Zwei Tage später war Sidonie wieder im Krankenhaus. Amalia Derflinger murmelte etwas von Platzmangel und daß sie die Aufgabe unterschätzt habe, gestand dann aber, daß ihr Mann sie samt dem schwarzen Bankert aus dem Haus gejagt habe.

Als ob's weiße Kinder nicht auch täten, hatte er sie angeschrien, willst, daß uns alle auslachen, sogar die eigenen Lehrbuben. Jeder ist froh, wenn er mit Zigeunern nichts zu tun hat, und du bringst mir die Plag noch heim! Er wies ihr die Tür, wenn du sie nicht sofort zurückbringst, sind wir geschiedene Leut'.

Amalia schämte sich, auch tat ihr das unschuldige Kind leid, das jetzt gar noch zu schreien begann, daß die ganze Straße zusammenlief. Zwei Nächte schlief Amalia mit Sidonie bei ihren Eltern, dann machten die ihr klar, das könne nicht ewig so weitergehen, die Frau gehöre an die Seite ihres Mannes, der noch dazu ein anständiger

Gewerbetreibender sei, sein eigener Herr und Meister, und Handwerk hat goldenen Boden, selbst in diesen Zeiten, Zigeuner gibt es mehr als genug und schlängeln sie sich auch überall durch, Unkraut verdirbt nicht.

2

Sieben Kilometer außerhalb der Stadt, an der Letten-Straße, die von Sierning hinunter zur Steyr und am anderen Ufer weiter zur Ortschaft Schwaming führt, liegen rechterhand zwei Wohnhäuser, die während des Ersten Weltkrieges für Vorarbeiter der Waffenfabrik errichtet worden waren.

Im ersten Stock eines dieser Häuser, auf Nummer 200, wohnte die Familie Breirather. Hans Breirather war 1899, im Jahr des entsetzlichen Hagelschlags und der Hochwasser, als jüngstes von sechs Kindern eines Landarbeiterehepaares geboren worden. Nach dem frühen Tod der Mutter hatte sein Vater eine Witwe geheiratet, die vier Kinder in die Ehe mitbrachte. Hans wuchs in der Überlände eines Schwaminger Bauern auf, sein Vater kam als Hilfsarbeiter in der Lettener Waffenfabrik unter, die Stiefmutter rackerte sich, als Gegenleistung für das enge, ewig feuchte Quartier, auf dem Kartoffelacker ab. Abends um sechs drückten sich die Kinder an der Fensterscheibe die Nasen platt, in der Hoffnung auf Essensreste vom Tisch des Bauern, die ihre Mutter manchmal in der Schürze heimbringen durfte. Vier Jahre lang, die sich in seiner Erinnerung zur sorglosesten Zeit seines Lebens verklärten, ging Hans zur Schule, wo ihm der Lehrer neben dem Einmaleins und rudimentären Kenntnissen der deutschen Rechtschreibung auch Selbstachtung und Stolz beibrachte. Der Mann, selbst in drückenden Verhältnissen gefangen, verachtete Kirche und Thron und führte einen zähen Kleinkrieg mit dem Pfarrer. Im Kampf um die Gunst der Eltern unterlag er; die Schüler gewann er, weil ihm körperliche Züchtigung ein Greuel war, dem er selbst bei größter Erregung, und trotz Drängen der Erwachsenen, nicht verfiel. Ihm lag daran, die Kinder möglichst lange von schwerer Arbeit fernzuhalten, und er fand nichts dabei, bei den Eltern mit diesem Begehren vorstellig zu werden. Man belächelte ihn deshalb, jagte ihn einmal sogar mit der Peitsche vom Hof. Auch bei Hans, der verlegen danebenstand, nützte die Fürsprache des Lehrers nichts. Zum Heuen mußte ihn dieser vom Unterricht dispensieren; der Wochenlohn von einer Krone nahm Hans immerhin das Gefühl, zu Hause ein unnützer Esser zu sein. Mit zehn kam er als Stallbursche zum Bauern. Die Arbeit mit den Pferden, ihr Festes und Scheues zugleich gefiel ihm. Nichts Schöneres kannte er als eine durchwachte Nacht im Stall, wenn eine Stute geworfen hatte und er achtgeben mußte, daß das Fohlen nicht zu früh aufstand.

Am ersten August 1914, nachts um elf, hörte Hans alle Kirchenglocken der Umgebung läuten. Schon am nächsten Tag trieb der Hausknecht die Pferde zur Militärkommission in Steyr; nachdem die Ernte mühsam, mit störrischen Kühen im Joch, eingebracht worden war, verschwand auch der Knecht, kriegsbegeistert und zuversichtlich, bis Weihnachten zurück zu sein. Zwei Jahre später mußte Hans zur Musterung, wurde mit siebzehn eingezogen, nach Brünn, klapperte, ein Bettelsoldat, die mährischen Bauern ab, fette schwarze Erde, bat um einen Kanten Brot, ein paar Rüben, eine Handvoll Kartoffeln. In der Kaserne litten sie ewigen Hunger, einmal nur konnten ihm die Eltern ein Paket zusammenschnüren, es kam nie an. Dann die Front, Isonzo, Tonale, das Sterben ringsum, für unbekannt, Hunger, der Tod in den Gedärmen, und immer wieder der Hunger.

In den italienischen Lagern lernte Hans begreifen, was die Menschen eint und was sie trennt, auch daß Grenzen anders verlaufen als auf den Landkarten gezogen. Als er im Troß der Kriegsgefangenen von Rom zur Festung Ostiense getrieben wurde, zerlumpt und abgehärmt, wurde er angespuckt und mit Orangen beschenkt, bekam er Schläge und ein Stück Brot. Dieses Erlebnis beschäftigte ihn lange, ebenso die nächtlichen Gespräche der italienischen Häftlinge, Sozialisten und Anarchisten, ihre erregten Stimmen ließen ihn lange nicht einschlafen. Am Morgen mußte er früh heraus, wusch ihnen Hemden und Hosen, dafür steckten sie ihm Geld zu und belohnten ihn mit ihrer Zuversicht, die ihm half, das letzte Lager durchzustehen, Monte Cassino, die Kälte, Schmutz und Seuchen.

An einem Sonntag im September 1919 fand in Sierning

ein Heimkehrerfest statt, auf dem die Niederlage in einen Sieg umgelogen wurde und die Toten aufgerufen waren, ihre überlebenden Kameraden rührselig zu stimmen. Es war eine Feier der Beschwichtigung und verspielten Gelegenheit, des Erstickens ungeordneter Träume, zu deren Anlaß die Häuser an der Straße zwischen Forsthof und Kirche beflaggt wurden und die Musikkapelle flotte wie schleppende Märsche anstimmte. Vier junge Kriegerwitwen legten vor dem Sakristeikreuz einen mannshohen Kranz nieder, auch für Hans, der sich drei Monate später, am Christtag, von St. Valentin nach Hause quälte, entkräftet, alle paar Meter hinter einen Baum getrieben, blutiger Abgang, Stuhldrang, Koliken, die sich lange nicht gaben.

Die nächsten fünf Jahre war Hans die meiste Zeit arbeitslos. Die Waffenfabrik hatte nach Kriegsende schließen müssen, im Friedensvertrag von Saint-Germain war Österreich die Erzeugung von Kriegsgerät verboten worden. Die Maschinen wurden nach Steyr verlegt, dort begann man Autos herzustellen, Familienväter hatten Vorrang, Hans mußte warten. Er bewegte sich heftig, um die quälenden Bilder wegzukriegen, die ihn beim Nichtstun überkamen. Jeden Monat wanderte er hinüber ins Gasthaus in der Queng, wo die Parteiversammlungen stattfanden, mit Hans als Vorturner und einem Referenten, in dessen Schlußwort alle einfielen, Hände weg von der Sowjetunion, dem revolutionären Rußland.

Bei einem Kostümfest im Fasching verliebte sich Hans unsterblich in eine Indianersquaw, die ihn um einen halben Kopf überragte und Josefa Degenfellner hieß. Josefa, die sich wie ihre Mutter bei einem Bauern verdingte, hatte braunes glattes Haar unter der schwarzen Bastperücke, braune Augen, breite Backenknochen, ein festes Kinn. Sie war weniger bedächtig als Hans, energischer, duckte sich nicht, das gefiel ihm. Als sie bei einem Wirt in Bad Hall als Köchin unterkam, saß Hans, scheinbar gedankenverloren, bis zur Sperrstunde vor einem Glas Most, das er in winzigen Schlucken leerte, oder er richtete es so ein, daß er Josefa, wenn sie spätabends nach Hause ging, in einer weiten Schleife verpaßte, um sie dann von hinten einzuholen und ihr vor dem Hamet, einem düsteren Waldstück, seinen Schutz anzubieten. Josefa fand Gefallen an Hans, der anders war als die Männer, die ihr sonst nachliefen, ruhig, in sich gekehrt, sanft vor allem und geduldig.

Und noch einmal hatte Hans Glück: die Steyr-Werke stellten ihn als Rundschleifer ein. Mit Josefa zog er in eine Baracke, die im Weltkrieg für die Rüstungsarbeiter errichtet worden war, im Jahr darauf kam Manfred zur Welt. 1928 übersiedelten sie in das Wohnhaus an der Letten-Straße, Zimmer, Küche, Wasser und Klo auf dem Gang.

Josefas Wunsch nach weiteren Kindern erfüllte sich nicht. Deshalb, und auch zur Aufbesserung des Haushaltsgeldes, wollte sie ein Kind in Pflege nehmen. Ende dreiunddreißig, an einem frostigen Wintertag, brachte ihr der Briefträger eine Mitteilung des Steyrer Jugendamtes: im Krankenhaus liege ein Kind zum Abholen bereit, sie möge es sich ansehen.

Josefa ließ den Wohnungsschlüssel für den Fall, daß Manfred aus der Schule zurück wäre, noch ehe sie die Sache in Steyr erledigt haben würde, bei einer Nachbarin und fuhr mit dem nächsten Zug in die Stadt. Im Krankenhaus wandte sie sich an den Portier, ich habe da ein Schreiben bekommen. Mayerhofer überflog es, ja, das habe schon seine Richtigkeit, aber ob sie auch wisse, was das für ein Kind sei, erwartungsvoll sah er sie an. Josefa schüttelte den Kopf. Eine Schwarze, flüsterte der Mann. Na und, sie zeigte sich nicht beeindruckt, braucht auch einen Platz. Mayerhofer war enttäuscht. Verdrossen schickte er sie in den ersten Stock.

Dort, auf der Internen, sprach Josefa eine Krankenschwester an. Warten Sie hier auf dem Gang, ich bring sie Ihnen. Aber Josefa folgte der Frau ins Kinderzimmer, nachdem sie ihr versichert hatte, behutsam aufzutreten und kein lautes Wort fallenzulassen. In dem langen, schlauchförmigen Raum stand ein Gitterbett neben dem andern. In jedem schlief ein Kind, weiße Haut, blondes Haar, fieberrote Wangen, und im letzten Bett, neben dem Fenster, lag Sidonie, rabenschwarz, zappelte mit Händen und Füßen und lachte Josefa an.

Josefa Breirather erbat sich keine Bedenkzeit. Die nehm ich, flüsterte sie, und als die Krankenschwester noch zögerte: Jetzt. Sofort. Während Sidonie gewickelt und angezogen wurde, ging Josefa hinunter zum Verwalter und telefonierte mit dem Jugendamt. Dann nahm sie das Mädchen in ihre Arme. Kleine Sidonie. Beim Ausgang blieb sie stehen, gab dem verdutzten Portier das Kind zum Halten, zog ihren Mantel aus und wickelte Sidonie fest ein.

Am Abend kniete sie auf dem Küchenboden neben einem Wasserzuber und badete das Mädchen. Bei ihr hockte Manfred und sah besorgt zu.

Und was ist, wenn die Farbe runtergeht?

Wär auch kein Unglück.

Aber besser gefällt sie mir so.

Mir auch, sagte Josefa.

Dann beunruhigte Manfred das unklare Verwandtschaftsverhältnis der neuen Mitbewohnerin. Bin ich jetzt eigentlich ihr Onkel?

Bruder.

Bruder? Und du ihre Mama?

Josefa nickte. Sie hob Sidonie aus dem Wasser, hüllte das Kind in ein Handtuch und trug es zum Tisch. Dort trocknete sie es ab, rieb Kopf, Brust und Rücken mit Öl ein, schlang ein warmes Tuch um den Oberkörper und legte dem Mädchen eine neue Windel an.

Manfred war hartnäckig. Und mein Papa ist auch ihr Papa?

Was denn sonst.

Dann müßten wir ja auch so schwarz werden.

Die Frau lachte. Das würd dir gefallen.

Ja, weil ich mich dann nicht mehr waschen müßte.

Hans Breirather kam erst spät nach Hause. 1927 war ihm die Ortsleitung des Republikanischen Schutzbundes, einer Selbstschutzorganisation der sozialdemokratischen Partei, angetragen worden, und Hans hatte nach einigem Zögern angenommen. Seit dem Verbot des Schutzbundes, im März dreiunddreißig, mußte er doppelt auf der Hut sein. Es verging keine Woche, in der die Gendarmen nicht im Arbeiterheim vorstellig wurden, die Wände nach Waffenverstecken abklopften, bei Breirather und anderen als Sozialdemokraten bekannten Arbeitern Hausdurchsuchungen vornahmen. Die Übungen, zu denen die Männer am Wochenende für alle sichtbar ausgerückt waren, mußten nun unter größter Geheimhaltung stattfinden. Ebenfalls im März hatte Bundeskanzler Dollfuß das Parlament ausgeschaltet und seither, Schritt für Schritt, eine Diktatur errichtet, die Vorzensur in Kraft gesetzt, Maikundgebungen verboten, das Streikrecht eingeschränkt, die Todesstrafe wieder eingeführt und die rechtsradikale Heimwehr gefördert. Auf das Verbot des Schutzbundes folgte die Kürzung der Arbeitslosenunterstützungen, und Hans wußte nicht, wie er den erbitterten Mitgliedern die Zurückhaltung der Parteiführung in Wien klarmachen sollte; er verstand sie selbst nicht. Noch hielt die Partei, noch war die Wut auf die Schwarzen, den Feind, stärker als der Unmut über die eigenen Führer, aber allmählich versiegte die Zuversicht, ohne Arbeit kein Ziel und die Partei ein zahnloser Koloß. Hans bekam Unfreundliches zu hören, mehr noch Josefa, die jeden Samstagnachmittag, wenn die Männer zu Hause waren, in Letten die Mitgliedsbeiträge kassieren ging. Von vierzig Mitgliedern ihrer Sektion hatten ihr an einem einzigen Tag achtundzwanzig die Parteibücher zurückgegeben, die einen aus Angst um den Arbeitsplatz, die andern, weil sie ihren schon verloren hatten und immer noch auf der Suche nach einer neuen Stelle waren. Wer weiß, was noch wird, hieß es, oder: Das ist euer Kaffee, wir halten uns da raus. Aber noch hielt das rote Letten, rückte sogar enger zusammen, als die Gendarmen ihre Nasen ungebeten in jede Kammer steckten. Eines Morgens hatte ein Steyrer Genosse bei Josefa drei Gewehre gelassen, weil man auch in der Stadt nicht mehr wußte, wohin mit den Waffen, und kaum war er aus dem Haus, stand auch schon der Gendarm in der Küche und fragte die Frau, ob sie denn wirklich ein reines Gewissen habe. Mit dem Koppensteiner konnte man wenigstens reden, er war kein Scharfer, erledigte seine Aufträge mehr aus Pflicht denn aus Überzeugung, so zog er nach einiger Zeit und zwei Schnäpsen wieder ab, ohne hinüber ins Schlafzimmer gegangen zu sein, wo die Gewehre noch an der Wand lehnten.

Am ersten Mai war die Ortschaft noch einmal in Fahnenrot getaucht gewesen, letztes Aufblühen, trügerische Ruhe vor dem Sturm, tags darauf hatten die Gendarmen Hans aus dem Bett geholt. Beim arbeitslosen Maurer Alois Fuchs, Truppführer des von Hans kommandierten Schutzbundes, waren sie fündig geworden. Schon in der Nacht auf den ersten Mai, als Fuchs noch eifrig Plakate an Scheunen und Bäume geheftet hatte, war er von zwei Männern gewarnt worden: Paß auf, euch hat einer verraten. Er hatte auf ihr Gerede nichts gegeben, bis er am nächsten Morgen, als er sich auf den Weg zur Kundgebung machen wollte, merkte, daß Heimwehrler sein Haus umstellt hatten. Er ging wieder zurück ins Zimmer, setzte sich an den Tisch und wartete ergeben auf die Gendarmen. Eine Stunde verstrich, seine Geduld erlahmte, schließlich hielt es ihn nicht länger, im Wirtshaus gegenüber trank er ein Bier, am Nebentisch tarockierten vier Gendarmen, reckten sich endlich, verließen die Gaststube. Fuchs hinter ihnen her. Beim Hinausgehen fragte ihn einer der Männer, wo denn ein gewisser Fuchs wohne, da drüben, sagte er, übrigens: das bin ich. Etwas später traf ein Maurer ein, den die Gendarmen herbestellt hatten, aber er brauchte keine Kaminwand mehr aufzustemmen, Fuchs hatte schon alles für den Abtransport vorbereitet. So fielen den Behörden 50 Handgranaten, 15 Infanteriegewehre, 2 Stutzenkarabiner und 509 Militärpatronen in die Hände, und die tiefschwarze ›Steyrer Zeitung‹ höhnte in ihrer nächsten Ausgabe: *Das war also keine »ergebnislose« Suche, verehrte Genossen.*

Mit Fuchs hatten die Gendarmen auch den Zugführer

des Schutzbundes, Sepp Niedermayr, und eben Hans Breirather verhaftet. Dessen Pistole, die Josefa unter der Brust verschnürt trug, fanden sie allerdings nicht. Die drei Männer wurden wegen Verbrechens nach dem Sprengmittelgesetz vier Monate in Untersuchungshaft genommen, dann für die Zeit der Urteilsfindung auf freien Fuß gesetzt.

Manfred lief zur Tür, als er die Schritte seines Vaters im Stiegenhaus hörte. Papa komm schnell, wir haben ein Mädchen gekriegt. Er stand schlotternd vor Ungeduld neben der Wiege, die Josefa sich von einer Bekannten ausgeliehen hatte, als Hans endlich in die Küche kam. Dem Mann verschlug es die Rede. Steif blieb er auf der Schwelle stehen, die Hand noch auf der Klinke.

Mach die Tür zu, sagte Josefa, es geht kalt herein. Und sag schon was.

Hans setzte sich an den Tisch, rückte den Stuhl so zurecht, daß er die schlafende Sidonie sehen konnte, und holte tief Atem.

Was ist denn da in dich gefahren.

Jetzt war Josefa schon wieder beruhigt. Sie wärmte ihrem Mann das Mittagessen auf, Knödel und Kraut, und beobachtete ihn, wie er endlich doch aufstand und an die Wiege trat, Sidonie seufzte im Schlaf auf, erschrocken machte Hans einen Schritt zurück.

In der Nacht erwachte Josefa vom Weinen des Mädchens. Sie stieß Hans an: Die Sidonie schreit. Holst du sie? Er stand schlaftrunken auf, als sie die Lampe auf dem Nachtkästchen anknipste, und tappte in die Küche. Mit dem Kind im Arm kam er zurück.

Naß ist sie. Ich werde sie wickeln.

Kannst du das überhaupt noch?

Ich probier's halt.

Gesund war Sidonie, entgegen den Beteuerungen des Krankenhauspersonals, noch lange nicht. Augen, Ohren, Nase vereitert. Jeden Morgen mußte Josefa das Kopfkissen frisch überziehen. Auch bekam das Mädchen Ausbuchtungen an beiden Füßen, ein Überbein, das immer größer wurde. Schließlich packte die Frau das Kind zusammen und ging hinauf zum Gemeindearzt.

Schönauers Wartezimmer war voll, er stand im Ruf, ein weiches Herz zu haben, behandelte Ausgesteuerte kostenlos. Josefa wurde mit einem Nicken und gemurmelten Grüßen empfangen, mit wem hast du dich denn eingelassen, fragte einer und deutete auf Sidonie, schütteres Gelächter, dann steckten die Männer wieder ihre Köpfe zusammen und redeten über ein Verbrechen, das die Sierninger Gendarmen endlich aufgeklärt hatten und das dem Dorf noch lange Gesprächsstoff liefern sollte.

Seit vergangenen Mai war der arbeitslose Dreher Karl Pröll abgängig gewesen. Pröll, den das Elend des Krieges und die Schmach, nicht gebraucht zu werden, verroht hatten, war zuletzt ohne ständige Bleibe gewesen. Die meisten Nächte hatte er in der Kammer seiner Geliebten

Anna Moshammer verbracht, die einem verwitweten Förster und Rechenmacher die Wirtschaft führte. Die junge Frau klammerte sich an Pröll, dessen Härte sie für Zuneigung und dessen Verlassenheit sie für Liebesnot hielt. Pröll verlangte ihr unter Androhung von Schlägen Geld ab, das er dann in den Wirtshäusern verjuxte. Dort führte er das große Wort, schwärmte von Brasilien, wo er bald sein Glück machen werde. Die Bauernburschen hörten ihn amüsiert und gebannt zugleich an, wenn er von riesigen Viehherden schwärmte und fruchtbaren Ländereien, mehrere tausend Joch groß, die viermal im Jahr Ernte trugen, Zucker, Kakao, ein Leben im Überfluß, mit Hängematte im Schatten einer Palme und nackten Negerinnen, die ihm Kühle zufächelten. Als er dann, ohne daß dies gleich aufgefallen wäre, verschwand, meinten einige, er sei auf die Walz gegangen, andere versicherten, er habe sich in Deutschland auf die Seite der Nazis geschlagen, aber Genaueres wußte keiner; nur Brasilien schlossen sie von vornherein aus. Anna Moshammer äußerte nicht mehr, als daß sie ihm, der sie wiederholt mißhandelt hatte, eines Abends den Zutritt zu ihrer Schlafkammer verwehrt habe. Pröll habe sie damals, durch das vergitterte Fenster, noch beschimpft. Die Gendarmen, die sich mit dieser Auskunft nicht zufriedengaben, zumal die Frau einen verängstigten Eindruck machte, durchsuchten deren Kammer und begannen auch im Keller des Hauses den Boden aufzugraben, allerdings ohne jeden Erfolg. Monate später lief das Gerücht, Annas Bruder sei im Überrock des Verschwundenen herumgegangen. Die Überprüfung des Sachverhalts ergab die Haltlosigkeit dieser Behauptung. Auch wurde noch einmal ihr Dienstherr einvernommen, der nichts gesehen und gehört haben wollte.

Erst viel später wurde dem Posten Sierning vertraulich zur Kenntnis gebracht, daß sich Anna Moshammer im Mai dreiunddreißig, zeitlich in der Früh, im Hausgarten zu schaffen gemacht habe. Die Gendarmen stellten daraufhin neuerliche Grabungen an und stießen sehr bald, unter Futterrüben, auf ein männliches Skelett.

Leugnen half jetzt nicht mehr. Moshammer gestand die Tat, die sie wegen Prölls Ansinnen, ihren Dienstgeber zu erschlagen und anschließend zu berauben, begangen habe. Mit einem Mal war der Frau klargeworden, daß Pröll sie gar nicht liebte, und so hatte sie mit ihm ihre ganze Sehnsucht abgetötet, vorsätzlich, wie das Geschworenengericht zur allgemeinen Zufriedenheit erkennen sollte. Eine Stunde lang mußte sich Josefa Breirather diese Geschichte in allen Einzelheiten anhören, ehe sie an die Reihe kam.

Als Josefa mit Sidonie im Arm ins Behandlungszimmer trat, schaute der Arzt kaum hin. Was soll ich verschreiben, wer zahlt denn das.

Mein Mann, sagte Josefa. Wir sind Ihnen noch nie was schuldig geblieben.

Schönauer winkte ab. Und überhaupt. Wieso kommen Sie denn mit der Schwarzen zu mir. Gehört ja gar nicht her.

Ah so ist das, sagte Josefa. Danke, Herr Doktor, ist schon recht. Drehte sich um und ging hinaus.

Dann sah sich eine Frau, die neben der Steyr in einer halbverfallenen Hütte lebte und der die Leute heilende Kräfte zusprachen, das Kind genau an, ohne es jedoch zu berühren. Josefa solle, sagte sie, das Laub von Nuß-bäumen pflücken und Kuttelkraut, außerdem Steinsalz besorgen, und daraus einen Sud kochen. Den müsse sie zwei Tage lang in einem verschlossenen Gefäß stehen-lassen, am besten bei zunehmendem Mond, und damit die Haut des Mädchens bestreichen. Aber Vorsicht! warnte sie. Nur die Füße bis zu den Knöcheln.

Nach einem Monat war das Überbein verschwunden, nach sechs Wochen war Sidonie auch im Gesicht sauber. Als der Arzt dann doch einmal Nachschau hielt, vom schlechten Gewissen getrieben, wollte er wissen, wer das bewerkstelligt habe. Aber Josefa sagte nur: Uninter-essant, was geht Sie das an.

Die Eheleute behandelten das Mädchen wie ihr eige-nes Kind. Einmal erkrankte es am Blauen Husten, wurde von Krämpfen geschüttelt, röchelte und keuchte beim Atemholen, warf Schleim aus, lag dann, bis zum nächsten Anfall, mit jagendem Atem und heißen Augen im Stubenwagen. Tage- und nächtelang saß Josefa neben ihm, flößte ihm Zitronensaft ein, Suppe von Hafer-grütze, zerriebene Salatblätter. Sie legte dem Kind

Kamillenwickel an, kalte Wadenpackungen, heiße Sohlenbäder, bis sie wunde Finger bekam. Und Sidonie überlebte. Sie behielt ihr offenes, unbeschwertes Wesen, war schön trotz der krummen Beine, die ihr geblieben waren. Im weißen Kleid, das ihr Josefa genäht hatte, sah sie wie ein freundliches Mohrenkind aus.

Auf das Geld vom Jugendamt soll es uns nicht ankommen, sagte Hans zu seiner Frau. Wenn's sein muß, bringen wir die Sidi auch so durch.

3

Sidonie Adlersburg war noch kein Jahr alt, als man ihren Ziehvater zu Hause abholte und auf den Gendarmerieposten Sierning trieb. Dort wurde er in Eisen geschlossen und mit aufgepflanztem Bajonett bedroht. Gestehst endlich. Red schon! Und als er immer noch schwieg: Dich kriegen wir auch noch weich.

Drei Tage vorher, am zwölften Februar vierunddreißig, hatte sich Hans mit einer Umarmung von Josefa und den Kindern verabschiedet, um im Steyrer Kreisgefängnis seine Strafe anzutreten. Ursprünglich waren Breirather, Niedermayr und Fuchs übereingekommen, damit bis zum ersten März zuzuwarten – dann wäre ihre Haftzeit zur Gänze in die warme Jahreshälfte gefallen, die ihre Familien leichter überstanden hätten, im Frühjahr und Sommer war das Leben billiger, brauchte man keine Kohlen zum Heizen, keine Schuhe für die Kinder, da tat es auch leichtere Kost. Aber das Gericht hatte seine Einwilligung verweigert und keine Fristverlängerung mehr gestattet. So machten sich die drei Männer auf den Weg, an diesem Montagmorgen, an dem, wie Fuchs sagte, nichts so war, wie es sein sollte, und Niedermayr gab ihm recht, während er die kalte Luft einsog und sich nach allen Seiten umsah, noch lag Schnee, aber die Ackerschollen schimmerten schon bräunlich durch die dünne weiße Decke, irgendwas stimmte nicht.

Während sie auf der Landstraße dahingingen, beherrschte ein Vorfall ihr Gespräch, der unter den Bewohnern von Letten tiefe Bestürzung ausgelöst hatte. In der letzten Jännerwoche nämlich waren die Wahrzeichen der Ortschaft gefallen: die beiden Schlote der ehemaligen Waffenfabrik, in der vor ihrer Schließung rund zweitausend Arbeiter beschäftigt gewesen waren. Die Fabriksobjekte hätten eigentlich verkauft werden sollen; eine Papierfabrik hatte sich für die leerstehenden Räumlichkeiten interessiert. Aber die Verkaufsverhandlungen waren entgegen den Erwartungen der Arbeiter ergebnislos verlaufen. Jahrelang waren die Gebäude ohne Verwendung stehengeblieben, gehütet und bewacht von den Ortsbewohnern, die jeden Steinwurf gegen eine Fensterscheibe der Fabrik als Anschlag auf ihre Existenz empfanden. Erst als jede Hoffnung auf eine Wiederaufnahme des Betriebes erloschen war, machten sich die Sprengmeister an ihre Arbeit, die sie mit großem Geschick erledigten; die Schlote fielen in sich zusammen, ohne größeren Schaden anzurichten. Nur ein paar Fensterscheiben der näheren Umgebung barsten unter der Druckwelle.

Darüber sprachen die drei Männer, als ihnen auf der Höhe des Zigeunerbergs Fuchs' Schwägerin entgegenkam. Sie war überrascht, dem Mann ihrer Schwester und seinen Begleitern gerade hier, und jetzt, zu begegnen.

Fuchs erklärte ihr, was sie vorhatten, aber das vergrößerte nur das Erstaunen der Frau. Ob sie denn nicht wüßten, was in Steyr los sei? Daß es in der Stadt schon drunter und drüber gehe. Erste Tote, angeblich. Schießereien. Die Geschäfte geschlossen, die Arbeiter verschanzt. Die Männer berieten sich, waren unschlüssig, zögerten, ihr Glauben zu schenken. Was Frauen halt so daherreden. Selbst in ihnen, die sich anderes vorstellen konnten als das herrschende Unrecht, saß tief der Widerwille, die Furcht vor plötzlichem Wandel, Pflicht beschwichtigte böse Vorahnungen. Also gingen sie weiter, ohne auf die Frau zu hören, die hinter ihnen greinte, Fuchs, mach nicht meine Schwester unglücklich, wirst doch nicht der Polizei in die Hände laufen.

Beim Bierhäusl, der letzten Senke vor der Stadt, trafen sie einen Nachbarn Breirathers, der sie fast übersehen hätte, so eifrig trat er in die Pedale, hatte den Kopf tief über den Lenker gebeugt, als gelte es, ein Rennen zu gewinnen. Atemlos bestätigte er, was schon die Frau ihnen erzählt hatte, die Arbeiter hätten sich erhoben, aber nicht nur in Steyr, auch in Linz werde gekämpft, in Wien gestreikt, mehr wisse er nicht. Das genügte, um Hans zur Umkehr zu bewegen.

Zu Hause holte er seinen Rucksack und die Pistole, Josefa streckte sie ihm schluchzend hin. Eine letzte innige Umarmung, dann sahen sie ihn schon zur Steyr hinunterlaufen, dem Saaßerwald zu, wo sich im Lauf des Nachmittags die Mitglieder des Schutzbundes einfanden, nur wenige hatten es vorgezogen, so lange zu Hause herumzusitzen, bis sie von den Gendarmen verhaftet wurden.

Jeder neu Eintreffende brachte Gerüchte mit, die, ohnehin schon Falschmeldungen oder halbe Wahrheiten, wiedererzählt und ausgeschmückt das tatsächliche Geschehen entstellten, so daß Hans, der mit Steyrer Genossen immer noch keine Verbindung hatte, sich von Vermutungen und eigenem Gespür leiten lassen mußte. Nach der Waffenausgabe zogen die 97 Männer frierend Richtung Christkindl, einem Bauerndorf vor der Stadt, immer im Schutz der Bäume, noch waren sie hier sicher. In der Keusche von Breirathers Schwester, in der Nähe der Lungenheilstätte, in der sie auf Ordnung sah, kroch Hans mit seinen Leuten unter. Die Situation war zu neu, als daß die Männer gleich einschliefen. Sie hofften auf das rote Wien, die sozialdemokratischen Führer, die jetzt nicht länger abwiegeln würden, Fuchs phantasierte gar von tschechischen Donauschiffen, einer befreundeten Flotte, deren Eingreifen zugunsten der Arbeiter den Kampf entscheiden werde.

Dann, zwei Stunden nach Mitternacht, hörten sie, wie sich in der Stadt die Artillerie einzuschießen begann. Die Bedrohung, der die Kameraden in Steyr ausgesetzt waren, gab ihnen wieder ein Gefühl der Stärke, der Rechtschaffenheit: nicht Bundesheer noch Heimwehr, der Kampfverband der Rechten, nein: sie verteidigten den Gemeinwillen! Hastig marschierten sie auf Steyr zu.

Aber schon an der Stadtgrenze, vor der Postenkette der Polizei, schlug ihre Entschlossenheit in Zaudern um. Die da drüben schossen nicht, also schossen auch sie nicht. Im Morgengrauen endlich verstärkten sie die Stellungen der Steyrer Schutzbündler hinter dem Krankenhaus. Aber sie kamen zu spät, erlebten nur noch das Abbröckeln der Zuversicht, bittere Nachrichten aus Linz, Wien, der Steiermark, weiße Fahnen aus den Fensterlöchern der Arbeiterwohnungen. Im Schutz der Dunkelheit zogen sie sich wieder zurück, wütend, überzeugt davon, verraten und verkauft worden zu sein. Ehe sie auseinandergingen, vergruben die Männer ihre Waffen in einem Waldstück am rechten Ufer der Steyr. Bei der Einvernahme schwieg Hans Breirather; er wußte sich im Recht.

Nach der Verhaftung der Lettener Arbeiterführer rotteten sich Burschen der Heimwehr an der Ortseinfahrt zusammen. Jetzt trauten sie sich in das rote Nest. Sie zogen vor die Filiale der Konsumgenossenschaft, wo sie sich zu beraten schienen. Die Kinder der Arbeitslosen, die ihnen in einigem Abstand gefolgt waren, sammelten sich auf der Böschung gegenüber. Sie sahen, wie einer der Männer versuchte, die Tür mit der Schulter aufzusprengen. Als das mißlang, zog der Gendarm seine Pistole. Ein Schuß krachte, ein Tritt, und die Tür war offen. Jetzt stürmten sie in den Laden, trampelten auf den Mehlsäcken herum, verschütteten Waschpulver, Salz, Kaffee, stürzten die Regale um, warfen Säcke und

Schachteln aus dem Fenster, setzten zu guter Letzt alles unter Wasser. Die Kinder betrachteten staunend das Treiben. Als sie näherrückten, fassungslos eher als empört, scheuchte sie der Gendarm wieder zurück. Ein Plünderer bückte sich nach einer Dauerwurst, biß herzhaft hinein. Heimwehrler, schmeckt dir die gestohlene Wurst, rief eines der Kinder.

Dann fielen sie über die Wohnung der Breirather her. Josefa stand gerade am Herd, als der Gendarm hereinstürmte, Pistole in der Hand, und sie in eine Ecke trieb. Den Männern in seinem Gefolge bedeutete er, im Schlafzimmer zu beginnen. Dort zerschlugen sie den Kasten, zerfetzten Josefas gutes Kleid, schlitzten die Matratzen auf, während der Gendarm sich in der Küche umsah, wie gelangweilt durch den Raum spazierte, eine Zierdecke von der Wand riß, auf die Josefa den sozialdemokratischen Gruß ›Freundschaft!‹ gestickt hatte.

Das hängen Sie schön wieder auf, Herr Atzmüller.

Inspektor Atzmüller, verbesserte der Mann.

Ohne den Blick von ihm abzuwenden, ging Josefa langsam zum Tisch. Der Gendarm bückte sich gewollt beiläufig und warf die Decke auf einen Stuhl. In diesem Augenblick begann Sidonie zu schreien, und Josefa nützte die Gelegenheit, um unbemerkt einen Zettel aus der Tischlade zu ziehen. Der Mann, vom Geschrei irritiert, herrschte sie an, das Kind zur Ruhe zu bringen.

Josefa hob das Mädchen aus der Wiege, küßte es und ging mit ihm zum Ofen. Als sie sich unbeobachtet fühlte, warf sie das Stück Papier, eine Aufstellung aller versteckten Waffen, ins Feuer.

Halt, schrie Atzmüller. Was haben Sie da hineingeworfen?

Selber nachschauen, sagte Josefa ruhig.

Die beiden standen einander gegenüber. Die Oberlippe des Mannes bebte, er hob die Pistole, besann sich dann, griff nach seinem Gummiknüppel und hieb auf Josefa ein, die sich rasch umdrehte, um Sidonie mit ihrem Körper zu schützen.

Als die anderen Männer aus dem Nebenzimmer kamen, ließ Atzmüller von der Frau ab; ihm war es peinlich, Zeugen zu haben für seinen Jähzorn. Barsch fragte er, ob sie fündig geworden seien. Einer schüttelte den Kopf. Aber hier gebe es sicher noch einiges zu entdecken. Er wollte zur Küchenkredenz gehen; Josefa stellte sich ihm in den Weg.

Da schau her, sagte sie. Der Schopf Max ist unter die Plünderer gegangen. Was wird denn dein Vater dazu sagen?

Dem anderen war unbehaglich. Weg da!

Josefa blieb stehen.

Ich kenn die Frau ja gar nicht, sagte Schopf und versuchte ein schiefes Lächeln.

Du kennst mich also nicht mehr, sagte Josefa. Dabei sind wir zusammen in die Schule gegangen. Kannst das Kopfrechnen immer noch so schlecht?

Jetzt mischte sich der Gendarm ein. Lassen Sie den

Mann in Ruhe. Das hier ist eine Amtshandlung. Und er stieß Josefa zur Seite.

Die Männer machten sich an der Kredenz zu schaffen, wischten Teller und Tassen vom Brett, im Geschirrkasten fanden sie Geld, Mitgliedsbeiträge der Partei, die Josefa in der Vorwoche kassiert hatte, und Breirathers Sparbuch, Atzmüller steckte es ein.

Nachdem sie die Stiege hinuntergepoltert waren, saß Josefa eine Zeitlang inmitten der Verwüstung, müde, aber nicht verzagt, und drückte Sidonie fest an sich. So fanden sie die Nachbarinnen, die ihr beim Aufräumen zur Hand gehen wollten.

Im Lastwagen des Müllers war Hans mit seinen Kameraden in das Steyrer Polizeigefängnis überstellt worden, wo man sie auf die überfüllten Zellen verteilte. Dann wurden sie, nach einem unergründlichen Auslesemodus, zum Verhör gebracht, bei dem ihnen die Beamten schlimme Strafen in Aussicht stellten, fingierte Geständnisse anderer Verhafteter vorlasen, die sie schwer belasteten, und ihnen die Auswirkungen etwaigen Leugnens für ihre Familien ins Gedächtnis riefen. Die meisten ließen sich davon nicht einschüchtern, einige aber, übernächtigt und zermürbt von der Niederlage, kehrten kreidebleich in die Zelle zurück, mit gehetzten Augen, verkrochen sich in ihre Angst.

Am siebzehnten wurde im Gefängnishof ein Galgen gezimmert. Die beiden Handwerker aus einem Bauerndorf der Umgebung – in Steyr hatte sich keiner gefunden, der diesen Auftrag ausgeführt hätte – trugen Stoffmasken, aus Angst vor späterer Rache. Bis auf Hans balgten sich alle Männer in der Zelle um einen Fensterplatz, verfolgten die langsamen, routinierten Handgriffe der Zimmerleute mit weit aufgerissenen Augen, die behutsamen, korrekten Vorbereitungen auf das ihnen allen zugedachte Schicksal, zehn Schutzbündler waren im Kampf gefallen, der elfte sollte gehenkt werden, zur Abschreckung und allgemeinen Läuterung, *Sepp Ahrer, am 30. 8. 1908 geboren, ledig, Bauschlosser in Steyr, arbeitslos*... Die Urteilsverkündung, spätabends, nachdem der Bundespräsident von seinem Recht auf Begnadigung keinen Gebrauch gemacht hatte, drang gedämpft hinauf in die Zelle, in der sich die Männer bäuchlings auf den Boden legen mußten. Fenster schließen! Hinlegen, und keinen Mucks! bellte ein Wärter durch das Guckloch... *Er hat hiedurch das Verbrechen des Mordes begangen und wird zur Strafe des Todes durch den Strang und zum Ersatze der Kosten des Strafverfahrens verurteilt.* Nach einem Henker hatten die Behörden in den letzten Tagen fieberhaft gesucht, erfolglos, ehe sich der Kleinhäusler Franz Wurm bei ihnen meldete, er sollte nicht alt werden. Wurm verwies auf einschlägige Erfahrungen beim Sauschlachten und Viehschlagen, aber irgendwas lief falsch, die Schlinge verkehrt geknotet oder schlampig um den Nacken des Verurteilten gezogen, jedenfalls zappelte Ahrer minutenlang am Galgen, so mußten sich zwei Gendarmen an seine Beine hängen, ein makabrer Anblick, der Hans erspart blieb, bis dem Gehenkten schließlich, mit einem Knacken, das bis hinauf in die Zelle zu hören war, das Genick brach. *Der Eintritt des Todes wurde um 23 Uhr 45 Minuten festgestellt.*

Angst oder Haß beugte die Männer. Niedermayr zum Beispiel, für den Hans seine Hand ins Feuer gelegt hätte, hängte, kaum hatten sie gemeinsam eine Zelle im Zuchthaus Garsten bezogen, ein Bild von Kanzler Dollfuß an die Wand. Andere wurden stumpf, wollten von Politik nichts mehr wissen, nur raus aus dem Gefängnisloch, unauffällig leben, keine Spuren hinterlassen. Hans ließ sich nicht unterkriegen, das forderte die Sieger heraus, keine Niederlage ohne Demütigung, am besten, sagte ein Gendarm, man nimmt dem Breirather das Kind weg, den Manfred, wird sonst nur ein Rebell, ein Roter wie die Eltern. Von Sidonie wurde erst gar nicht gesprochen, eine Zigeunerin taugte nicht als Mittel der Rache.

Nachdem Hans zu achtzehn Monaten Gefängnis verurteilt worden war, lief sich Josefa die Füße wund, um die Kinder durchzubringen. Ihre monatlichen Einnahmen beschränkten sich auf dreißig Schilling, die ihr das Jugendamt für Sidonie zahlte, und zehn Schilling Kindergeld für Manfred. Elf Schilling kostete allein die Miete. Die Rote Hilfe hatte Bons zu fünf, zwei und einem Schilling herausgebracht, die sie den Frauen von Verhafteten zur Verfügung stellte. Aber kaum jemand kaufte Josefa einen Bon ab, eher bekam sie eine Kleinigkeit zugesteckt, oder Manfred wurde von den Nachbarinnen zum Essen eingeladen. Nach ein paar Monaten lief eine Aktion für Mittellose an, von der keiner wußte, wer eigentlich dahintersteckte, die Quäker vielleicht oder ein britisches Hilfskomitee, wie der Name, Englische Hilfe, vermuten ließ. Alle vierzehn Tage ging Josefa, im Leiterwagen Sidonie, an der Hand Manfred, hinein in die Stadt, immer die Sierninger Straße entlang, dann die Kirchengasse hinunter auf den Michaelerplatz, wo ihr, in einer Parterrewohnung gegenüber der Realschule, zwei unwirsche ältliche Frauen einmal etwas Mehl, dann wieder einen Batzen Schmalz gaben. Das reichte für ein Dankeschön, aber nicht zum Leben.

In ihrer Verzweiflung versuchte es Josefa beim Bürgermeister von Garsten, bat ihn um eine kleine Unterstützung. Er schnauzte sie an, sie solle gefälligst arbeiten gehen, die Schroppen halt weggeben oder was auch immer, aber er werde doch nicht der Frau eines Häfenbruders, der ihn, den Bürgermeister, im Februar glatt und ohne Pardon erschossen hätte, wenn die Heimattreuen nicht stärker gewesen wären, öffentliche Gelder zustecken, mit denen er nützlicheres im Sinn habe, schmiedeeiserne Gitter für den Friedhof, Brauchtumspflege, eine neue Feuerwehrspritze.

Dann machte die Kirche Jagd auf sie. Hans und Josefa hatten im Juni 1928 geheiratet, aber gegen den Willen von Josefas Verwandtschaft nur auf dem Standesamt. Eine kirchliche Trauung war für Hans nicht in Frage gekommen, weil er bald nach seiner Rückkehr von der Kriegsgefangenschaft aus der Kirche ausgetreten war. In Italien hatte er einmal den Papst mit großem Gefolge am Lager vorbeibrausen sehen, und der äußere Prunk, auch der Hochmut des Priesters, den an den gefangenen Soldaten nur deren Sünden interessierten, hatten sich mit dem eigenen Elend nicht länger vertragen. Jetzt ließ der Sierninger Pfarrer Josefa einen schönen Gruß bestellen, und sie möge doch zu ihm hinüberkommen.

Gut, sagte Josefa zu der Frau, die ihr die Botschaft gebracht hatte, ich werd einmal vorbeischauen.

Die andere, besorgt: Aber je früher, desto besser.

Bitte, vielleicht geh ich morgen schon.

Pfarrer Treml, dem es endlich geglückt war, die Gemeinde von der Notwendigkeit einer neuen Orgel zu überzeugen, machte keine langen Worte. Josefa bleibe nichts anderes übrig, als wieder der Kirche beizutreten. Ob er sie nur deshalb zu sich bestellt habe. Und als er bedeutungsvoll nickte: Wenn Sie mir sonst nichts wissen. Das muß ich mir noch überlegen.

Zwei Tage später kam die nächste Vorladung, diesmal vom Direktor der Volksschule. Nein, kein Grund zur Klage, im Gegenteil. Aber es sei schade um den Buben, der anständig sei und gescheit, aber schlechte Noten bekomme, weil er ein Heide sei. Frau Breirather, er flehte sie an, lassen Sie den Manfred doch taufen. Nur ihm zuliebe.

Als Josefa von der Schule heimkam, lag schon wieder

eine Verständigung im Briefkasten, dieses Mal vom Gefängnisseelsorger in Garsten, Hochwürden Arthofer, der auch als Literat von sich reden machte, ein Band ›Zuchthaus‹ war, samt einem Vorwort von Enrica Handel-Mazetti, kartoniert schon um S 7,70 zu haben. Arthofer erwartete Josefa zu einer Aussprache. Also brachte sie Sidonie zu ihrer Tante, kochte für Manfred vor und lief die acht Kilometer nach Garsten. Der Priester empfing sie um eine Spur zu freundlich. Liebe Frau Breirather. Sie wollen sicher Ihren Mann besuchen. Nachher können wir zwei uns noch ein wenig unterhalten. Josefa ging hinüber ins Besucherzimmer, verwundert über dieses Angebot, sonst durfte sie Hans nur alle vierzehn Tage eine halbe Stunde lang sehen.

Du weißt es schon, sagte Hans.

Was denn?

Daß ich wieder der Kirche beitreten muß.

Es gibt kein Muß, rief Josefa. Das geht nur uns etwas an.

Es ist wegen Manfred, sagte Hans.

Als sie wieder dem Pfarrer vorgeführt wurde, machte Josefa ihrem Ärger Luft. Es gebe nichts mehr zu besprechen, sie wisse Bescheid, außerdem warteten zu Hause die Kinder auf sie. Arthofer war ungehalten, wenns nicht im Guten geht, dann halt im Bösen, eine gemeine Erpressung ist das, schrie Josefa, Sie sind ein radikales Kommunistenweib, gab er zurück. Danke, sagte Josefa, und Auf Wiedersehen.

So ging es dahin. Ein Schreiben folgte dem andern, nach einer Vorladung kam die nächste. Josefa wußte nicht mehr, wo ihr der Kopf stand. Sorge um Manfred, dem sie jetzt auch den Vater ersetzen sollte, woher das Essen für den nächsten Tag nehmen, mit Männern reden, die sie herumschickten, es abwechselnd mit Versprechungen und mit Drohungen versuchten.

Schließlich hatten sie Hans herumgekriegt, nachdem sie an sein Gewissen appelliert hatten. Es sei letztlich doch seine Schuld, daß sich seine Angehörigen in dieser mißlichen Lage befinden, hätte er nicht gegen die geltenden Gesetze verstoßen, würden sie keinen Mangel leiden. Er brauche nur zu unterschreiben, hier, nein weiter unten, ja da, bestätigen, daß seine Familie gut gehalten werde, unterstützt von selbstloser Barmherzigkeit, ein Werk der Nächstenliebe ungeachtet dessen, was er Gott und Kirche vordem angetan habe, der Heiland sei nicht nachtragend, sagte Arthofer zu Hans, liebe auch seine Feinde, warte nur auf ein Zeichen, ein winziges Zeichen der Einsicht und Läuterung, alter Zwist sei begraben, und alle Welt soll unsern Schwur heut' hören: Dem Vaterland gilt unser ganzes Streben!

Die kirchliche Trauung fand an einem Wochentag statt. Angetreten waren: der Gefängnisseelsorger im weißen Vespermantel, Hans in blauer Arbeitshose und dreckigen Gummistiefeln, eben von der Anstaltsgärtnerei weggeholt, Josefa: frisch gestärkte Bluse, Faltenrock. Zwischen dem Ehepaar saß Manfred in seiner langen

Hose, weißes Hemd, Pullover, an den Flanken zwei Aufseher, zugleich die Trauzeugen. Hinter ihnen leere Bankreihen. Arthofer hielt Josefa ein Gebetbuch hin, da lesen Sie, wird Ihnen guttun. Die Frau schleuderte es weg, wütend, sie gab auch jetzt nicht klein bei. Wäre die Trauung unter anderen Bedingungen, ohne Zwang und Demütigung, zustandegekommen, hätte ihr Josefa trotzdem etwas abgewinnen können. Unter den besonderen Umständen ihres Zusammenseins sah sie Hans, seine schmächtige Gestalt, das schmale Gesicht wie zum ersten Mal. Als er zwischen den Aufsehern durch den Windfang in die Kirche getreten und im dämmrigen Licht auf sie zugekommen war, hatte sie Rührung und Befangenheit ergriffen. Auch der Wärter, der sie nachher ins Besucherzimmer führte, konnte sich der merkwürdigen, beinahe festlichen Stimmung nicht erwehren. Abgestumpft sonst und ungerührt allen Bitten gegenüber, nur der Gefängnisordnung verpflichtet, gestattete er es, daß sie Hans ein Päckchen zusteckte mit einem Stück Speck von der einen, einer Mehlspeise von der anderen Nachbarin, drei Schachteln Zigaretten von früheren Arbeitskollegen.

Auf dem Heimweg dann, während Manfred neben ihr hertrippelte, liefen der Frau Tränen über das Gesicht. Josefa wischte sie nicht weg.

4

Als Hans Breirather im März 1935 vorzeitig aus der Haft entlassen wurde, sah er sich einer größer gewordenen Familie gegenüber. Josefa hatte auf Bitten der Mutter, einer Bauernmagd, die endlich eine Stelle als Dienstmädchen in Holland gefunden hatte, ein zweites Mädchen zu sich in Pflege genommen. Hilde war vier Monate älter als Sidonie, ebenso zart, hatte aber ein rundes, pausbäckiges Gesicht. Während sie sich bei Josefa vom ersten Tag an wohlgefühlt hatte, befiel sie in der Nähe, ja beim bloßen Anblick eines Mannes eine unerklärliche Furcht, sie begann dann zu schreien, war nicht mehr zu beruhigen, wimmerte noch im Schlaf. Ihr leiblicher Vater etwa, der bei einem Bauern in der Umgebung arbeitete, traute sich gar nicht mehr, sie zu besuchen, weil sie, wenn er zur Tür hereinkam, gleich zu weinen begann und heulend unter den Tisch kroch.

Sidonie lief sofort, auf unsicheren Beinen, auf Hans zu, als er aus dem Gefängnistor trat, ließ sich von ihm hochnehmen und zerzauste ihm mit ihren braunen Händen das Haar. Seinen Versuch aber, auch das andere Mädchen in den Arm zu nehmen, mußte er erschrocken bleiben lassen, zu laut war das Brüllen Hildes, die sich mit allen Anzeichen von Entsetzen unter Josefas Rock flüchtete. Erst langsam faßte sie zu ihm Vertrauen, und irgendwann verlor sie ihre Scheu und begann mit Sidonie um die Zuneigung des Ziehvaters zu wetteifern. Abends warteten sie, jede mit einem Pantoffel in der Hand, schon sehnsüchtig auf ihn.

Nach seiner Entlassung war Hans einen Sommer lang arbeitslos; dann legte ein Bekannter aus dem christlich-sozialen Lager, der ihn trotz politischer Gegnerschaft schätzte, ein gutes Wort für ihn ein, und er kam wieder in die Steyr-Werke, diesmal in den Autobau, wo er Nockenwellen zu schleifen hatte.

Breirather vereinsamte. Sofern die Lettener Arbeiter nicht, gegen Himbeerwasser und ein Paar Würstl, an den Umzügen der vom Regime geförderten Verbände teilnahmen, liefen sie zu den illegalen Nationalsozialisten über, unter denen Hans bekannte Gesichter entdeckte. Im Gasthaus Hochrainer, kaum 200 Meter von Breirathers Wohnhaus entfernt, hockten sie nach ihren Aufmärschen zusammen, jeder in schwarzen, an den Oberschenkeln weiten Breeches-Hosen, im Sommer in weißen Kniestrümpfen, und spülten ihre Verachtung gegen die sozialdemokratischen Führer und ihren Haß auf die Hahnenschwänzler mit Schnaps und Bier hinunter. Hochrainer, der Wirt, machte mit ihnen kein schlechtes Geschäft. Dabei war er keiner von ihnen, aber sie schätzten ihn, weil er sich im Februar vierunddreißig geweigert hatte, als Lokführer einen Militärkonvoi zu befördern, der zur Niederschlagung der Aufständischen bestimmt war. In allen anderen Wirtshäusern der Gemeinde hing ein Dollfuß-Bild mit Trauerflor neben dem Herrgottswinkel, bei Hochrainer waren Arbeiter der Faust und der Stirn unter sich.

Auch an Hans machten sie sich heran, komm doch zu uns, was willst denn noch bei den Roten. Und wenn sie schon etwas angeheitert waren: Bist eh schon die ganze Partei. Er lachte nur, etwas ratlos, um eine Antwort verlegen, und machte, daß er schnell aus der verqualmten Gaststube kam. Abends, zu Hause, saß er dann vor dem Radio, das sie mit dem ersten Weihnachtsgeld gekauft hatten, und hörte sich im deutschen Sender Hitler-Reden an, die brauchen mir nichts zu erzählen, sagte er zu Josefa, mit dem rennen wir ins Verderben. Dann drehte er weiter am Skalenknopf, ein Jahr später, Rauschen, Knattern, starkes Fading, lauschte mit roten Ohren der Deutschen Stunde von Radio CNT aus Barcelona und summte die Hymne mit, Himno de Riego, mit der jede Sendung ausklang. Warum sie, und nicht wir!

Mit Hilde, und seit Hans wieder zu Hause schlief, war die Wohnung eng geworden; die beiden Mädchen schliefen in der Küche, Manfred im Schlafzimmer der Eltern. Auf einem Foto, das aus jener Zeit erhalten blieb, sitzt er zwischen den beiden Mädchen auf einer Gartenmauer und schaut halb pfiffig, halb verlegen in die Kamera, während Sidonie lachend den Kopf wegdreht und ihm ans nackte Knie faßt. Vielleicht war der Altersunterschied zu groß, oder es bot sich selten ein Anlaß –

jedenfalls zeigte sich Manfred nie eifersüchtig auf seine Schwestern, obwohl Hilde und Sidonie mehr Aufmerksamkeit beanspruchten als er. Manchmal hatte Josefa deshalb ein schlechtes Gewissen, zu Hans sagte sie, man kümmert sich immer zu wenig um die Kinder, die einem keine Sorgen machen. Nur einmal fiel es Manfred schwer, mit den beiden anderen zu teilen, vor Weihnachten 1936, als Hans von der Feierstunde in den Steyr-Werken ein Päckchen mitbrachte, Datteln, eine Tafel Schokolade, eine Büchse Sardinen. Da hätte er am liebsten alles für sich behalten.

Die Sardinenbüchse leistete den Mädchen noch jahrelang gute Dienste. Mit Löwenzahnblüten gepolstert, gab sie ein bequemes Bett ab für die Zwerge und Gnome, die in ihrer Vorstellung unter den Wurzeln der Bäume hausten. Hütten aus Moosplatten waren im Sommer ihr Zuhause, dort lebten sie mit ihren Puppen – Flaschen, deren Hälse sie mit bunten Stoffresten schmückten. Für die Kinder aus der Nachbarschaft war Sidonie, auch wenn sie mit ihrer dunklen Hautfarbe und den blauschwarz schimmernden Haaren hervorstach, eine Spielkameradin mehr. Nur wenn sie aneinandergerieten, als Räuber und Gendarm, ich hab dich, nein hast mich nicht, hab dich schon, oder beim Spiel mit einem Fetzenball, abgeschossen, nicht berührt, taten sich die anderen leicht, ein Schimpfwort zu finden: Zigeunerin. Zigeunerkind. Bist ja eh nur eine Zigeunerin. Oder wenn die Buben sie weghaben wollten: Putz dich, Schwarze.

Dann aber sorgten sie sich wieder um das Mädchen, wenn sie sahen oder hörten, daß Zigeuner in der Nähe lagerten, nahmen sie an der Hand und liefen ins Haus. Frau Breirather, schnell, Zigeuner sind da, sperren Sie zu.

Das war ganz am Anfang gewesen, bei ihrem ersten Pflegebesuch, daß die Fürsorgerin Josefa gewarnt hatte: Aufpassen! In dieser Gegend treiben sich doch oft Zigeuner herum. Man weiß ja, wie die sind. Ob die nicht einmal das Kind schnappen. Die sehen auf den ersten Blick, daß Sidonie eine von ihnen ist. Tatsächlich schien es Hans und Josefa, daß Zigeuner, wenn sie zum Haus kamen und fragten, ob nicht Messer und Scheren zu schleifen seien, Körbe benötigt würden, ein Blick in die Zukunft genehm sei, das Mädchen heimlich musterten. Manchmal gab es auch Fehlalarm, so als ein Rasselbinder die Straße herunterkam und die Kinder in Panik wegrannten, vor ihnen her, am flinksten und am meisten entsetzt Sidonie, die aus Leibeskräften brüllte. Dann wieder saß, eines Mittags, eine alte Frau unten im Hof und rief hinauf in die Wohnung: Milch, hätten Sie nicht ein Lackerl Milch für mich übrig, und Josefa traute sich nicht ans Fenster, bis eine Nachbarin sich der Zigeunerin erbarmte und ihr eine Schale brachte, und ein Stück Brot. Nachdem die Alte wieder etwas zu Kräften gekommen war, humpelte sie davon. Falsches Mißtrauen, Josefa schämte sich.

Der Magistrat Steyr, Berufsvormundschaft, blieb

nicht untätig. Alle heiligen Zeiten richtete er eine Anfrage an das Bezirksjugendamt Steyr, *das gefertigte Amt ersucht höfl. gelegentlich bei Frau Josefa Breirather, Fabriksarbeitersgattin in Letten Nr. 200, Pflegepartei der mj. Sidonie Adlersburg, wieder einen Pflegebesuch vornehmen zu wollen und das Ergebnis anher mitzuteilen*, und erhielt kurz und bündig Auskunft: *Kind gesund, normales Gedeihen, sehr gut u. ordentlich gehalten und betreut.* Oder: *Kind gesund. Tadellos gehalten und betreut. Frau Br. bittet Magistrat dringend um etwas Wäsche für das Kind. Hat vor Weihnachten diesbez. einen Brief geschrieben, keine Antwort bekommen.* Auch: *Kind gesund, kräftig. Gut gehalten und betreut in jeder Weise.*

Das war freilich nur der kleinere Teil des Interesses, das die Beamten für Sidonie an den Tag legten; mit unvermindertem Elan war die Behörde weiterhin hinter deren Eltern her und erstattete schließlich, im April 1935, als Vormund und namens der minderjährigen Sidonie Adlersburg Anzeige gegen die außerehelichen Kindeseltern, weil diese ihre Unterhaltspflicht in grober Weise vernachlässigt hätten und wegen ihres unsteten Aufenthalts zu keiner Leistung herangezogen werden könnten.

Im steirischen Knittelfeld wurde man kurz darauf der Beschuldigten habhaft. Anna Adlersburg bestritt, Sidonies Mutter zu sein. Sie habe sich auch nie als solche ausgegeben und von der ihr zur Last gelegten Tat erst jetzt, nach der Verhaftung, erfahren. Auf die Frage des Richters, ob sie die Frau kenne, die sich telefonisch beim Steyrer Krankenhaus gemeldet hatte, nannte sie nach allerlei Ausflüchten und der dringenden Ermahnung, das Gericht nicht für dumm zu verkaufen, endlich ihre Stiefschwester Christine Berger, die schon wiederholt auf ihren Namen, Adlersburg, Gesetzwidrigkeiten begangen habe. Den Aufenthaltsort der Stiefschwester vermochte die Frau nicht zu nennen, sie wisse nur, daß sich dieselbe mit dem Zigeuner Roman Plach auf Wanderschaft befinden solle.

Über ein Jahr später, ehe er seinen wohlverdienten Urlaub antrat, legte ein Amtsrat seinem Kollegen einen Ausschnitt aus der ›Linzer Tages-Post‹ auf den Schreibtisch, dazu eine Notiz, bitte anschreiben! *Um nun die Bemühungen aller Länder im Kampfe gegen die Zigeunerplage einheitlich zu gestalten und nach einer allgemeinen Norm weiterführen zu können, wurde in Wien eine Zigeunerzentrale unter dem Namen »Internationale Zentralstelle zur Bekämpfung des Zigeunerunwesens« geschaffen. Diese sammelt alle ihr vom In- und Ausland mitgeteilten Daten über Zigeuner, führt alle Fingerabdrücke und ist daher in der Lage, über alle bereits einmal von einer Behörde gefaßten Zigeuner Auskunft zu erteilen. Da es den Zigeunern jetzt nicht mehr möglich sein wird, ihre Person abzuleugnen oder je nach Bedarf zu wechseln, kann man sich in Hinkunft über jeden einzelnen Zigeuner ein genaues Bild machen,*

Strafkarten anlegen und unerwünschte Elemente sofort abschaffen. Der Magistrat Steyr, Berufsvormundschaft, fragte an, mußte mahnen, bekam dann den kleinlauten abschlägigen Bescheid, man habe leider in der Sache nichts Zweckdienliches herausgefunden.

Dann wurde von der Polizeidirektion in Wien mitgeteilt, daß eine neuerliche Einvernahme der Anna Adlersburg ergebnislos verlaufen sei, wenn man von dem Hinweis absehe, daß ihre Stiefschwester mit über fünfzig Jahren wohl nicht die Kindesmutter sein könne. Aber Christine Berger habe mehrere Kinder, und es sei nicht ausgeschlossen, daß eine Tochter mit Robert Larg (oder Roman Plach; Hörfehler nicht ausgeschlossen) ein Kind habe. Wenige Tage später richtete das Polizeikommissariat Steyr ein Schreiben an die Schriftleitung des Zentralen Polizeiblattes in Wien:

Um Einschaltung folgender Verlautbarung wird ersucht:

Ausforschung unbekannter Täter (»Personsbeschreibung«)

1. Schlagwort (z. B. Wohnungseinbrecher) BETRÜGERIN

2. Bezeichnung des Geschlechtes FRAUENSPERSON, ZIGEUNERIN

3. Angebl. Name ADELSBURG ANNA, DÜRFTE MIT CHRISTINE BERGER IDENT SEIN

4. Angebl. Tag, Monat, Jahr der Geburt (Alter) 23–25 J. A.

5. Angebl. Geburtsort (Bez., Land) UNBEKANNT

6. *Angebl. Zuständigkeitsdaten* DETTO

7. *Angebl. Staatsangehörigkeit* DETTO

8. *Angebl. Beruf* SOLL MIT DEM ZIGEUNER ROMAN PLACH UMHERZIEHEN

9. *Möglichst genaue Personsbeschreibung unter Anführung besonderer Kennzeichen* MITTELGR., SCHLK., AUFFALLEND SCHWARZER ZIGEUNERTYP

10. Schlagwortartige Beschreibung der Tat HAT AM 18. 8. 1933 IHR 2½ MONATE ALTES KIND, ANGEBL. AUF DER STRASSE NACH ALTHEIM GEBOREN, SIDONIE ADLERSBURG VOR DEM KRANKENHAUS STEYR ZURÜCKGELASSEN U. NICHT MEHR ABGEHOLT, SO DASS DAS KIND SEITHER VOM MAGISTRAT STEYR BEFÜRSORGT WERDEN MUSSTE.

Von all dem erfuhren Hans und Josefa nichts. Die Fürsorgerin hatte Sidonies Ziehmutter beruhigt, es sei mehr als zweifelhaft, ob die Frau je ausgeforscht werden könne, und auch dann stehe Breirathers Wunsch, das Kind behalten zu dürfen, nichts im Wege. Sie jedenfalls würde einen solchen Antrag jederzeit befürworten. Eine vorzeitige Adoption aber lasse der gegenwärtige Stand der Ermittlungen nicht zu. Erst wenn die Kindesmutter aufgegriffen werde, könne darüber befunden werden. Und weil diese nie auch nur den leisesten Versuch unternommen habe, mit ihrer Tochter Kontakt aufzunehmen, würden in jedem Fall die Chancen ausgesprochen gut stehen.

Für Sidonie war es keine Frage, daß sie das rechtmäßige Kind ihrer Zieheltern war. Hans und Josefa hatten ihr vorsichtig beibringen wollen, daß sie wie Hilde erst als Säugling von ihnen aufgenommen worden sei, und Sidonie dachte sich eine Geschichte aus, derzufolge sie in Dunkelheit und tiefem Schnee zum Haus gefunden habe, mühsam die schwere Tür aufgestemmt habe und ermattet die Treppe hinaufgekrochen sei. Vor Breirathers Wohnung sei sie in tiefen Schlaf gefallen, von Josefa aufgenommen und in die warme Küche getragen worden, wo sie bald zu Kräften gekommen sei. Dann wieder behauptete sie unerschütterlich, von Josefa empfangen worden zu sein. Braun sei sie nur deshalb, weil sie sich so oft in der Sonne aufhalte.

Auch nicht mehr als wir, sagten die anderen Kinder.

Bei mir wirkt's halt schneller, erklärte Sidonie.

5

Samstag war, aber schulfrei, als sich Manfred gegen Mittag aus der Wohnung stahl. Während Hans und Josefa vor dem Radio saßen und weinten, stand er im Spalier an der Landstraße und sah sich die Vorbeifahrt der Siebten Division der Deutschen Wehrmacht an. Lange Kolonnen von Lastwagen und Zugmaschinen, dazwischen Kradmelder, die zur nächsten Kreuzung ratterten und die Nebenstraßen sperrten. Die Soldaten winkten, einer warf Manfred etwas Viereckiges, Gelbbraunes zu, der biß eine Ecke ab, kaute langsam, fader Geschmack. Hartes Brot, sagte er, sein Freund wußte es besser: Zwieback, echter Zwieback, gib her.

Als Manfred dann in der Dämmerung nach Hause kam, hungrig vor Begeisterung, und anfing, von den Spähwagen zu erzählen, den Haubitzen und Motorrädern, schnitt ihm sein Vater das Wort ab. Das verstehst du noch nicht, entschuldigte er ihn, aber in einem Jahr haben wir den Krieg. Und abends, als sich das ganze Ausmaß des Unglücks abschätzen ließ, umarmte er Josefa, die einzige, die ihm jetzt Halt geben konnte: Die Sidi, ich hab solche Angst um sie.

Letten veränderte sich. Ende des Jahres nahm die alte Waffenfabrik wieder ihren Betrieb auf. Dann wurden hinter Breirathers Wohnhaus, dort, wo bis 1934 das Arbeiterheim gestanden war, Baracken errichtet und mit Stacheldraht umzäunt. Ein Jahr später schritten vier würdige Herren im dunkelblauen Anzug morgens hinunter in die Fabrik, mittags zum Essen in das Gasthaus Hochrainer, abends, nach Arbeitsschluß, zurück in das Lager. Polnische Laufrichter, Spitzenkräfte aus dem neuen Generalgouvernement. Mit stiller Bewunderung starrten ihnen die Frauen nach, die Kinder beneideten sie um das Viereck, das sie auf der Brust wie eine Auszeichnung trugen, schwarzes P auf gelbem Grund. Ihr Ansehen verblaßte, als immer mehr Zwangsarbeiter aus Ländern, die es jetzt nicht mehr gab, zu ihnen in die Baracken gesteckt wurden, der Mittagstisch im Wirtshaus entfiel, sie bewegten sich jetzt eiliger, ruck-zuck, ein neues Wort, das sie zu lernen hatten, gemma gemma, bald glänzten ihre Anzüge speckig, erste Flicken, schließlich waren sie von den anderen nicht mehr zu unterscheiden.

Auch im Haus gab es Neuigkeiten. Das Ehepaar Krobath zog ein, Volksgenossen aus dem Sudetenland, Mitte vierzig, breit und wuchtig er, sie mager, mit spitzem Kinn. Beide wurden nicht müde zu betonen, wie glücklich sie seien, auf deutscher Heimaterde zu stehen, Frau Krobath zeigte dabei auf das Linoleum zu ihren Füßen. Sie waren kinderlos, keine Chance für die Frau, zu einem Mutterkreuz zu kommen, er war frontuntauglich, Kriegsverdienstkreuz also in weiter Ferne. Zellenleiter Lux aus dem Nebenhaus half ihnen beim Einzug, stellte sie abends der Hausgemeinschaft vor. Die jüngeren Männer standen schon an der Front, Hans galt im Werk als unabkömmlich. Im Namen aller Nachbarn darf ich Sie recht herzlich willkommen heißen. Und was ist das da, fragte Frau Krobath mit schriller Stimme, dieses schwarze Ding. In die Stille hinein, während sich alle Augen auf Sidonie richteten: Heinz, ich glaub, wir sind unter die Neger gefallen. Sie lachte gekünstelt, ihr Mann und Lux lachten mit.

Aus dem roten Letten war das braune Letten geworden. Noch 1938, gleich nach dem Einmarsch der Deutschen, waren die Sozialistischen Wehrturner geschlossen der SA beigetreten. Jetzt durften sie wieder hinein in die Halle, aus der sie vor vier Jahren vertrieben worden waren. Bauchaufzug, Felgumschwung, Schraube, Salto rückwärts, ihr Körper eine unversiegbare Quelle der Kraft. Im Steyrer Werk aber glaubte Hans endlich die Leute zu finden, die ihm in Letten und Sierning abgingen. Nur waren sie, zumeist zehn Jahre jünger, zurückhaltend, grüßten ihn nicht einmal, was ich nicht weiß, macht mich nicht heiß. Einmal nahm ihn einer beiseite: Hans, nicht daß du glaubst, wir haben was gegen dich. Im Gegenteil. Aber dich kennen sie. Auch wenn du nichts merkst, da ist immer wer hinter dir her. Sei vorsichtig, such dir deine eigenen Leute, wenn du willst, aber paß ja auf.

Die eigenen Leute. Hans probierte es. In Letten gab's

nur einen, auf den er sich verlassen durfte, Petrak, einer von den Schutzbündlern, die 1934, nach dem Februar-Kampf, geflüchtet waren, zuerst in die Tschechoslowakei, dann weiter in die Sowjetunion. Dort hatte er im Kugellagerwerk Kaganowitsch als Schlosser gearbeitet, ehe er, vor die Wahl gestellt, die sowjetische Staatsbürgerschaft anzunehmen oder das Land zu verlassen, nach Letten zurückkehrte. Seine Begeisterung für das Vaterland der Werktätigen war tiefer Enttäuschung gewichen, er hatte sich eingesperrt gefühlt, überwacht und kontrolliert, miterlebt, wie man Arbeitskollegen der Sabotage und trotzkistischer Verschwörung beschuldigt hatte, eines Tages waren sie verschwunden gewesen. Er erzählte nur ungern von seinen Erlebnissen, beantwortete eine Frage meist mit einer Gegenfrage, als mißtraue er dem andern, oder reihte Episoden aneinander, die zusammen keinen Sinn ergaben, jedenfalls nichts waren, an das man sich halten konnte. Mit der Zeit entstand für Hans ein unvollständiges Mosaik, Angst, Mühsal, Heldentum bunt gemischt, er fand sich darin nicht zurecht.

Lange Zeit hatte Petrak von Politik nichts mehr wissen wollen, erst allmählich brach die Verhärtung auf; als Herta Schweiger, eine Steyrer Rotkreuz-Schwester, die Fremdarbeitern geholfen hatte, von der Gestapo totgeschlagen worden war, kam er von selbst: Hans, wir müssen was machen.

Vorsichtig begannen sie alte Freunde auszuhorchen,

brachten die Rede auf die Zustände im Werk, den Feldzug gegen Osten, wenn Petrak gefragt wurde, was er davon halte, er kenne sich ja aus bei den Russen, wiegte er bedenklich den Kopf, was soll ich schon sagen, groß und mächtig, zu groß, hörten die anderen, zu mächtig. Langsam gewannen sie Vertrauen, viel länger dauerte es, bis sich zum Vertrauen Mut gesellte, der ausreichte, bei Gleichgesinnten einmal im Monat eine Reichsmark, oder gar eine Mark fünfzig, einzusammeln, die Hans dann den Angehörigen von Verhafteten, den Hinterbliebenen der Ermordeten zusteckte. Der Widerstand, eine Brücke ohne Ufer. Lähmender Schrecken, wenn sie der Größe ihres Risikos gewahr wurden. Wenn einer neben dem Friedhof zufällig die Toten auf der Ladefläche des Lastwagens sah, der von Mauthausen herüberfuhr, ins Steyrer Krematorium, wo die Leichen verbrannt wurden, weil man jenseits der Donau mit dem Verheizen nicht mehr nachkam. Oder wenn man Sabotage erwog, ein paar Späne ins Flugzeugaggregat, damit das Fahrgestell einer Messerschmitt sich nicht mehr ausfahren ließ, aufgeregtes Tuscheln: was kann denn der Pilot für den Hitler, und außerdem: was können wir schon tun?

Hans nahm Verbindung auf nach Wien. Ein Hauptwachtmeister der Feuerschutzpolizei erschien, getarnt als harmloser Bergsteiger, den es samt Frau in die oberösterreichischen Voralpen zog. Hans und Petrak gingen mit dem Ehepaar Plackholm hinauf in die Almen des

Ennstals, manchmal nahmen sie einen Arbeitskollegen von Hans mit, einen fanatischen Nazi, den sie allein auf den Gipfel schickten, während sie vor der Schutzhütte beisammen saßen und sich die Köpfe heiß redeten, große Pläne schmiedeten, die Herstellung von Flugblättern und Streuzetteln erwogen und doch nur mit sich selbst rechnen durften. Jeder von ihnen wußte, daß sie sich auch mit dem, was sie nicht taten, um Kopf und Kragen bringen konnten. Einmal kam der Gendarm zu Josefa und fragte, ob sie in letzter Zeit Besuch aus Wien erhalten habe, ihm sei eine Meldung zugegangen, wonach ein Auto mit Wiener Kennzeichen vor dem Haus geparkt habe. Sicher hat ihm das die Krobath gesteckt, dachte Josefa und sagte: Ja, meine Nichte Anna, die in Wien lebt, hat uns besucht, ich kann Ihnen sogar ihre Adresse geben. Dem Gendarmen genügte die Auskunft.

Dann ließ Plackholm nichts mehr von sich hören. Hans wartete vergeblich, hoffte auf Nachricht, Ort und Zeitpunkt eines neuen Treffens. Die Ungewißheit zermürbte ihn, er wirkte abwesend, gedankenverloren, nachts schreckte er aus Alpträumen hoch oder wälzte sich im Bett lange hin und her. Seine Unruhe übertrug sich auf Josefa, die bei jedem fremden Geräusch zusammenfuhr und das Schlimmste befürchtete, wenn er später als sonst von der Arbeit nach Hause kam.

Schließlich ertrug Hans die Ungewißheit nicht länger, setzte sich in den Zug und fuhr nach Wien, offiziell um Josefas Nichte zu besuchen. Am Neusserplatz schlich er um Plackholms Wohnhaus herum, nahm sich endlich ein Herz und verschwand im Hauseingang, drückte sich an der Tür des Hausmeisters vorbei, lief die Treppe hoch, Mezzanin, erster Stock, zweiter Stock, dritter Stock, vor allen Wohnungen fremde Namen. In der letzten Etage, als er sich ratlos zum Gehen wandte, hörte er eine helle Stimme hinter sich. Suchen Sie wen. Ein blondes Mädchen mit Zöpfen schaute aus einem Gangfenster. Plackholm, sagte er heiser und machte einen Schritt, ich habe was abzugeben. Das Kind musterte ihn. Neusserplatz 1, sagte Hans. Die Adresse stimmt doch? Jetzt nicht mehr, sagte das Mädchen. Ist er umgezogen, fragte Hans. Die andere schwieg. Dann hob sie die Arme und preßte ihre Handgelenke gegeneinander. Und seine Frau? Das Mädchen blieb stumm, hob die Arme ein Stück weiter an.

Hermann Plackholm war auf der Feuerwache verhaftet worden, im Gestapo-Hauptquartier am Morzinplatz hatten ihm die Beamten Fotos vorgelegt, auf denen er gemeinsam mit Hans zu sehen war. Ein dicker gelblicher Finger tippte auf den Unbekannten, wer ist das, wie heißt er. Plackholm schwieg, wieder ein Schlag, das Blut lief ihm in die Augen, er krümmte sich, wollte antworten, ich kenn den Mann nicht, nur konnte er die Zunge nicht mehr bewegen, der Lappen im Mund gehorchte ihm nicht.

Fast zur gleichen Zeit ging eine Widerstandszelle in den Steyr-Werken hoch, auch diesen Verhafteten wurden Fotos von Hans hingeschoben, nein, unbekannt, kenne ich nicht, kenn ich nur vom Sehen. Binder und Ahorn, zwei SS-Männer, die im Gasthaus Hochrainer das große Wort geführt hatten, zerstreuten die Bedenken der Staatspolizisten. Laßt's den, der ist ungefährlich, tut doch schon lange nichts mehr.

Dann war Josefa an der Reihe. Frau Csepek, die im Nachbarhaus wohnte, hatte sie angesprochen, ob sie sich nicht um ihren Gemüsegarten kümmern wolle, ein schmales Kartoffelbeet, Tomatenstauden, Fisolen. Krenwurzen auch. Josefa kenne sich da aus, ihr selbst fehle die Geduld. Als Gegenleistung schneiderte sie aus Breiraths alten Hemden Sommerkleider für Hilde und Sidonie oder kürzte für Manfred eine Männerhose.

Eines Tages standen die beiden Frauen am Gartenzaun und redeten über den Hochrainer-Wirt, der verhaftet worden war, angeblich hatte er einem Gast die Frage gestellt, wie lange die NSDAP noch bestehen werde, und die Antwort gleich selber gegeben: Noch Solange Die Affen Parieren. Ist das nicht ein Trottel, sagte Frau Csepek zu Josefa, der Wirt, daß er so was sagt? Wir sind doch jetzt wer. Und Josefa: Regen Sie sich nicht auf. Nach jedem Einsperren kommt das Auslassen. Das hörte eine andere Nachbarin, Milli Zangele, Witwe eines Unteroffiziers und alten Kämpfers, den bei Reims der Heldentod ereilt hatte. Zangele lief hinüber aufs Gemeindeamt und gab an, Josefa betreibe staatsfeindliche Greuelpropaganda.

Zwei Tage später mußte Josefa zur Gendarmerie gehen, wo einer von der Gestapo schon auf sie wartete: Sie haben die NSDAP beleidigt. Eine Zeugin hat ausgesagt.

Was habe ich denn gesagt?

Daß alle Parteimitglieder eingesperrt gehören.

So eine Gemeinheit.

Aussage stand gegen Aussage. Csepek wollte sich an nichts erinnern. Josefa befürchtete, verhaftet zu werden, und redete mit ihren Tanten, die eine wollte sich um Sidonie, die andere um Hilde annehmen. Dann mußte wohl der Gendarm den Mann von der Gestapo von Josefas Unschuld überzeugt haben, die Familie Breirather sei schon in Ordnung, gut angeschrieben im Ort, der Sierninger Bürgermeister bestätigte es, die Untersuchung wurde eingestellt.

Ein paar Monate später lehnte Zellenleiter Lux nach getaner Arbeit an seinem Küchenfenster und genoß das deutsche Abendrot, das schönes Wetter versprach, als er im Garten des Nebenhauses eine Gestalt wahrnahm, in der er unschwer Frau Breirather erkannte. Sie nahm Wäsche ab, ging dann aber nicht zurück ins Haus, sondern bückte sich nach einem Korb und sah sich verstohlen nach allen Seiten um. Lux trat schnell vom Fenster zurück; als er wieder einen Blick hinaus riskierte, näherte sich Josefa dem Barackenzaun. Höchst verdächtig, befand Lux. Er schlich hinüber und überraschte Josefa dabei, wie sie gerade einen halben Laib Brot und eine

Kanne Tee samt Rumersatz, er roch es gleich, unter dem Zaun durchschob. Feindbegünstigung, sagte er. Was zum Fressen und zum Saufen für die Polacken! Und: Wenn Sie das noch einmal machen, wird es Konsequenzen haben.

In ihrer Umgebung gab es unterdessen Konsequenzen. In der Chronik des Gendarmeriepostens Sierning, die sich zwischen neununddreißig und fünfundvierzig auf die knappe Zusammenfassung von Feldzügen, später auch auf die Beobachtung der Luftangriffe auf Steyr beschränkte, wurde am dreiundzwanzigsten Februar 1942 vermerkt, daß der polnische Zivilarbeiter Anton Wojtanowitsch, zuletzt bedienstet gewesen in Sierninghofen 45, im sogenannten Föhrenschacherl nördlich der Brauerei Wallmühle hingerichtet worden sei. *Von den hier eingesetzten Polen wurden 80 männliche dazu stellig gemacht.* Wojtanowitsch war mit der Magd Franziska Sieder in einem Schuppen überrascht worden. Man sparte sich die Kugel. Zwei seiner Landsleute mußten ihm den Strick um den Hals legen und ihn an einer Astgabel hochziehen. Inzwischen scherte man seine Geliebte, eine junge Frau aus der Gegend, kahl und trieb sie anschließend mit einer Tafel um den Hals durch den Ort. »Während deutsche Soldaten an der Front stehen, buhle ich um einen Polen.« Großes Hallo, lachende Gesichter.

Möglich, daß Josefa mit den zwei Mädchen gerade vom Einkaufen kam, als die Menschentraube um die Ecke bog. Ein Bub, kaum älter als Sidonie, hüpfte vor der geschmähten Frau her, drehte sich um und spuckte ihr ins Gesicht. Dann lief er zur Seite, dorthin, wo Josefa und die Kinder standen und das Geschehen sprachlos betrachteten. Josefa faßte ihm an die Schulter, er drehte sich zu ihr um, lachend und selbstsicher, als sei ihm Zuspruch oder Lob gewiß. Die Ohrfeige hatte er nicht erwartet. Noch als er sich die Backe hielt, war dieses Lachen in seinem Gesicht. Verdutzt sah er Josefa nach, die jetzt Sidonie und Hilde eilig fortzog.

Franziska Sieder, die des Beischlafes mit einem polnischen Zwangsarbeiter überführt worden war, wurde weggeschafft, in ein Konzentrationslager, nach Ravensbrück, wie man munkelte. Als sie nach zwei Jahren, noch während des Krieges, zurückkehrte, ausgemergelt, gealtert, gingen ihr die Leute aus dem Weg. Was sie gesehen und erlebt hatte, wollte oder durfte sie nicht sagen.

6

Jahre ohne Zigeuner. Auf einmal waren sie nicht mehr zu sehen, weder beim Zigeunerberg noch auf der Lichtung im Lettener Holz, gleich neben der Ortschaft. Die Dorfbewohner nahmen ihr Ausbleiben als Naturgesetz hin, oder als stürmisches Vorwärtsdrängen der Zivilisation, es befriedigte sie wie die rapide Abnahme von Feuersbrünsten, früher war kein Monat vergangen, in dem nicht ein Bauernhaus eingeäschert worden war; seit alte Schulden getilgt waren, blieben Hof und Scheune stehen.

Nur Hans und Josefa waren beunruhigt.

Die Zigeuner, sagte Josefa. Warum kommen keine mehr. Die können sich ja nicht in Luft aufgelöst haben.

Seien Sie froh, sagte Frau Grimm, brauchen Sie wenigstens nicht mehr auf die Sidi aufzupassen.

Cäcilia Grimm, die in der Gemeinde Sierning zu Hause war, und mit einem Lehrer verlobt, machte wie die frühere Fürsorgerin zweimal im Jahr ihre Pflegebesuche, zu beanstanden gab es weiterhin nichts. Sie saß in Breirathers Küche, neben Hilde, nippte am Holundersaft, den ihr Josefa hingestellt hatte, und sah der Frau zu, die auf der anderen Seite des Tisches, vor dem Fenster, Sidonie die Haare schnitt.

Das Mädchen rümpfte die Nase, stülpte die Unterlippe vor und versuchte, die Haare wegzublasen, die an der Nase haften geblieben waren. Ein letzter prüfender Blick von allen Seiten, Josefa strich ihr über den Kopf, anerkennendes Nicken von Hilde, schön schaust aus. Dann nahm Josefa das Handtuch von Sidonies Schultern, schüttelte es vorsichtig aus. Bleib noch sitzen, sagte sie und kehrte die Haare zur Seite, so schöne Haare, sagte Frau Grimm, zu schade fast zum Verheizen. Jetzt rief Josefa nach Manfred, der im Schlafzimmer auf seiner Geige übte, mit halb gespieltem, halb empfundenem Widerwillen setzte er sich auf den Stuhl, aber oben länger, bettelte er, zuckte zusammen, als er das kalte Klappern der Schere spürte, rollte mit den Augen und schnitt Grimassen. Sidonie und Hilde lachten, aber Josefa war nicht zu erweichen, lange Haare, kurzer Verstand, wer redet denn von lange, sagte Manfred und bat Frau Grimm, seiner Mutter Einhalt zu gebieten, sie habe ihn schon genug verunstaltet.

Nachdem sich die Fürsorgerin, nicht ohne eine Erhöhung des Pflegegeldes auf dreißig Reichsmark monatlich in Aussicht zu stellen, verabschiedet hatte, holten die beiden Mädchen ihre Hefte hervor und begannen, das Gedicht vom General Bumbum aus dem Lesebuch abzuschreiben.

Sidonie und Hilde waren 1939 eingeschult worden. Morgens war Sidonie als erste fertig und wartete ungeduldig auf Hilde, damit sie ja rechtzeitig in die Schule

kamen. Der Lehrerin Schönauer, Frau des Gemeinde-
arztes, las sie jeden Wunsch von den Lippen ab, goß
die Geranien vor dem Fenster, bettelte ums Tafel-
löschen, wollte nach dem Unterricht nicht wieder heim.
Für Schönauer machte sie oft kleine Besorgungen, im
Winter trug sie ihr Brennholz und Kohlen hinauf in die
Wohnung. Sie fühlte sich geborgen bei der Frau und
den anderen Kindern, gab sich auf der Schulbank dem
weichen Sog angenehmer Träumereien hin, malte
Prinzessinnen, Kühe und Männer mit gewaltigen
Zipfelmützen und erblickte in den Ziffern und Buchstaben, die Schönauer mit vielen Schleifen und Zier-
strichen an die grüne Wandtafel malte, hohle Baum-
stämme, Wurzelwerk, Türme mit Erkern und Zinnen.
Wenn die Frau ihre Erklärungen unterbrach, um sich
mit einer Frage an die Schüler zu wenden, hatte Sidonie als erste die Hand hochgestreckt, als müsse sie die
Lehrerin mit ihrem Eifer für die Ausflüge in eine andere Welt belohnen. Wurde sie aber tatsächlich aufgerufen, fiel ihr keine Antwort ein, oder sie hatte die
Frage längst vergessen und erzählte, was ihr eben
durch den Kopf gegangen war. Dann lachten die anderen, und Schönauer fühlte sich gefoppt, ein bösartiges
Kind, dachte sie, ehe sie zu begreifen anfing, daß Sidonie mit ihrem Verhalten nichts Böses im Sinn hatte,
nur nicht die Stille ertrug, das Schweigen in der Klasse,
das sie als Unfreundlichkeit gegenüber der Frau emp-
fand, die sich doch so sehr bemühte, ihnen etwas bei-

zubringen, das Kopfrechnen und die Farben der Jahreszeiten, das Lied vom Schnarchelhänschen und vom feinen Mädchen und vom deutschen Vater, der alles kann. Du darfst nur aufzeigen, wenn du die Antwort weißt, sagte die Lehrerin, versprich es mir, und Sidonie nickte mehrmals. Aber schon in der nächsten Stunde hatte sie ihr Versprechen wieder vergessen und zuckte zusammen, als Schönauer ihrem Ärger Luft machte, Adlersburg setz dich, nicht genügend.

Schlimmer war, daß Sidonie die Buchstaben auf den Kopf stellte oder falsch aneinanderreihte, beim Abschreiben ganze Sätze übersah und keine gerade Linie einhalten konnte. Wenn sie ihren Namen schrieb, schwebte das S weit über der Zeile, dem I fehlte der Punkt, das D klebte hinter dem O. Sie müssen mehr üben mit ihr, sagte die Lehrerin, das mache ich ja, erwiderte Josefa, und Sidi bemüht sich auch, ich muß sie nicht zu den Aufgaben treiben. Frau Schönauer faßte die Antwort als Vorwurf auf, ich kann mich nicht immer nur um das Kind kümmern, sagte sie, es sei nicht ihre Schuld, wenn es nicht Schritt halten könne. Vielleicht Veranlagung, meinte sie nach kurzem Zögern.

Am letzten Schultag kam Sidonie stolz nach Hause gelaufen, ich darf sitzenbleiben, rief sie und wedelte mit ihrem Zeugnis: Schau, so viele Vierer! Aber Sidi, sagte Josefa und mußte sich ein Lächeln verbeißen. Einser mußt du kriegen, oder Zweier, ein Vierer ist doch eine schlechte Note. Sidonie verstand die Sorge der Frau nicht. Sie rechnete es sich als Verdienst an, ihre Schulzeit um ein Jahr verlängert zu haben.

Später einmal, Sidonie ging schon in die zweite Klasse, nahm sich die Lehrerin ein Stück aus dem Lesebuch vor. *Der schönste Geburtstag.* Laut lasen sie die Geschichte von Berta, deren Herzenswunsch es ist, den Führer vor seinem Haus auf dem Obersalzberg zu Gesicht zu bekommen, und der das unerwartete Glück zuteil wird, von ihm persönlich zur Jause eingeladen zu werden. *Berta schaut das Haus genau an. Besonders gefallen ihr die Altane und die grünen Fensterläden.* Die Kinder wollten wissen, was das sind, Altane, und hätten wie Berta *die zahmen Rehlein* auch gern gestreichelt. Es wunderte sie, daß der Führer gleich drei Hunde hatte, *Lona, Rolf und Mucki.* Mucki beißt bestimmt nicht, dachte Sidonie, aber die anderen zwei liegen sicher an der Kette. Und Walderdbeeren mit Schlagrahm hätte sie auch gern gegessen. Was ist eigentlich ein Plappermäulchen? *Der Führer fragt sie und sie fragt ihn. So viel haben sie sich zu sagen, und sie lachen so fröhlich dazu.* Da möchte Sidonie immer bleiben. *Aber draußen wartet doch die Mutter.*

In der nächsten Stunde sollten die Kinder aufschreiben, was sie dem Führer von sich erzählen würden, wenn er sie wie Berta in sein Haus einladen sollte. Sie zerkauten ihre Bleistifte, einige schielten auf das Heft des Banknachbarn, um sich dort Anregung zu holen, oder sahen verstohlen aus dem Fenster, schönstes Badewetter, brüteten über den leeren Blättern, aber schließlich fanden auch die Unwilligsten einen Anfang, nachdem ihnen die Lehrerin etwas weitergeholfen hatte, es sei doch nicht so schwer, sich mit Namen vorzustellen, die Geschwister, Eltern, den Beruf des Vaters.

Nach einiger Zeit, als die einschläfernde, nur vom Geräusch der Bleistifte unterbrochene Stille einem allmählich anschwellenden Wispern Platz machte, klatschte Schönauer in die Hände. Gehorsam legten die Kinder ihre Stifte beiseite.

Wer will vorlesen, fragte die Lehrerin.

Fünf, sechs Hände schossen in die Höhe.

Sidonie, sagte die Frau.

Das Mädchen strahlte. Sie nahm ihr Heft und ging nach vorn. Neben dem Katheder blieb sie stehen und räusperte sich.

Ich heiße Sidonie Adlersburg, aber alle nennen mich Sidi, weil das leichter geht. Meine Eltern heißen Hans und Josefa und mein Bruder Manfred, aber ich sag immer Fredi zu ihm, und meine Schwester heißt Hilde und geht schon in die dritte Klasse. Sie sind ganz lieb zu mir, nur paßt meine Mutter immer auf, daß wir keinen Zukker aus der Kredenz nehmen, und mein Vater ist u. k., weil er sonst in den Krieg müßte und man nie weiß, ob einer zurückkommt.

Sie stockte und hob den Kopf.

Fertig, fragte die Lehrerin, und als Sidonie nickte: Brav. Noch ehe sie das Mädchen zurück in die Bank schicken konnte, meldete sich ein Bub: Das stimmt nicht, was Sidonie von ihren Eltern geschrieben hat. Weil das nämlich nicht ihre richtigen Eltern seien.

O ja, rief Sidonie, das sind schon meine Eltern! Sie schaute Schönauer hilfesuchend an, die Frau sah ratlos in die Klasse.

Die Sidi ist nur angenommen, sagte ein Mädchen, und ein anderes: Gelogen! Und wieder der Bub: Nicht gelogen. Eine Zigeunerin ist sie, das sieht ja ein Blinder!

Nach dem Unterricht, draußen war das Lachen und Schreien der Kinder schon abgeebbt, stand Sidonie als einzige noch in der Klasse, vor dem Becken mit dem Schwamm, und wusch sich sorgfältig Arme und Gesicht. Die Lehrerin kam und holte das Klassenbuch.

Was machst du noch da, fragte sie. Und ohne die Antwort abzuwarten: Geh heim. Ich muß zusperren.

Zu Hause saß Rosa Hinteregger am Küchentisch, eine stattliche fünfzigjährige Frau, die in Sierning eine Papierhandlung betrieb. Sie zog gerade über den Pfarrer her, so ein scheinheiliger Kerl, sagte sie zu Josefa, ein Angsthase ist er, läßt sich die Ministranten von der HJ abspenstig machen, liefert brav die Glocken ab, glauben Sie, der würd einmal den Mund aufmachen?

Er hat es auch nicht leicht, sagte Josefa.

Nicht schwerer als unsereins, antwortete Hinteregger. Sie drückte Sidonie an sich. Willst, daß ich dich firmen lasse? Das Mädchen sah Josefa fragend an. Die Frau nickte.

Ein paar Nachbarn, sie spürte es, stießen sich an Sidonies Gegenwart. Das schwarze Luder muß weg. Wäre sie wenigstens verstockt gewesen, unfreundlich, nachtragend! Aber ihre Hilfsbereitschaft, die Freundlichkeit, mit der sie diese Nachbarn grüßte, der Eifer, mit dem sie bei den Altstoffsammlungen für das Winter-Hilfswerk den Leiterwagen zog, erhöhten den Haß. Ein liebenswerter Untermensch, das fehlte noch.

Dann waren da auch die Kinder aus Berlin, die wegen der Bombenangriffe aufs Land verschickt worden waren. Krobath und Lux hatten vier von ihnen aufgenommen, sie spuckten Sidonie an, wenn sie in den Hof hinunter spielen kam. Josefa zog es deshalb vor, mit den Mädchen zum Waldrand zu gehen. Dort setzte sie sich mit ihrem Strickzeug oder Strümpfen, die sie stopfen mußte, ins Gras, während Sidonie und Hilde zwischen den Bäumen umherliefen.

Es gab freilich auch die anderen, die aus tiefer Überzeugung gegen alles Volksfremde wetterten, gottseidank ist Sierning judenfrei, Neger und Zigeuner, diese artfremden Schädlinge! Aber das Mädchen war ihnen vertraut, noch störte es nicht. Bürgermeister Eder zum Beispiel, ein eingefleischter Nazi, der in seiner Jugend sein Glück in Nordamerika versucht hatte und mit einem Groll gegen westliche Demokratien zurückgekehrt war, grüßte es freundlich, ein liebes Dirndl, sagte er zu seiner Frau, schad, daß sie so schwarz ist.

Am Pfingstsonntag des Jahres 1942, frühmorgens,

fuhr Frau Hinteregger in einer weißen Kutsche vor. Breirathers Nachbarn bekamen große Augen, als sie das Gespann vor dem Haus halten sahen. Die Frau würdigte sie keines Blicks, kletterte aus dem Wagen und wartete auf Sidonie, die ihr entgegenlief und scheu um das Gefährt herumging. Sie drehten eine Runde durch den Ort, Sidonie durfte neben dem Kutscher auf dem Bock sitzen und die Zügel halten, stolz sah sie auf die anderen Kinder hinunter, die stumm am Straßenrand standen und gafften, statt hinter der Kutsche herzulaufen.

Dann fuhren Hinteregger und Sidonie mit dem Zug nach Linz. Vierzig Kilometer weit mit der Eisenbahn! Später mußte das Mädchen Hilde haarklein erzählen, was es auf der Fahrt alles zu sehen bekommen hatte, Bauern auf dem Feld, zwei Gendarmen, vierundsechzig Kühe, Hasen im Rübenacker, Rehe am Waldrand und fünf Katzen! Und Linz, sagte sie, ist noch viel größer als Steyr, alle Straßen gepflastert und die Häuser so hoch, daß sie die Sonne verdecken, und der Dom mit einem Turm, der in den Himmel wächst, und im Innern so groß, daß man sich verlaufen könnte, das wär was zum Versteckenspielen, dort würde uns sogar der Fredi nicht mehr finden.

Und dann, wollte Hilde wissen.

Und dann sind schon andere Kinder dagewesen und Frauen und Männer, wir haben uns in einer Reihe neben dem Altar aufstellen müssen, die Kinder vorne, und ich habe mich umgedreht und Frau Hinteregger fragen wollen, was jetzt passiert, aber sie hat den Finger auf ihre Lippen gelegt, ich soll still sein.

Und dann?

Dann ist ein Mann mit einer roten Schürze gekommen, der hat eine goldene Haube aufgehabt. Das war der Bischof. Und neben ihm sind zwei mit einer weißen Schürze gegangen, das waren seine Diener. Der Bischof ist vor jedem stehengeblieben und hat etwas geflüstert, was ich nicht verstanden habe, Frau Hinteregger hat mich angestoßen, daß ich mich niederknien muß, dann hat er mich auf die Wange geschlagen, aber nur leicht, mehr gestreichelt, und der hintere hat etwas getragen und geschwenkt, aus dem es brandig gerochen hat, brandig und süß.

Und weiter!

Dann sind wir aus dem Dom gegangen, sagte Sidonie.

Das war alles, fragte Hilde enttäuscht.

Nein, antwortete Sidonie. Das Schönste ist erst gekommen.

Auf einer Bank an der Donau hatte Hinteregger eine Schachtel geöffnet und das Firmgeschenk herausgenommen, für mich, hatte Sidonie gestammelt, das ist für mich, eine richtige Puppe, nicht aus Fetzen und einem Stück Holz notdürftig zusammengeflickt, sondern so wie die, die sie in Steyr einmal in einem Schaufenster gesehen hatte, mit einem weißen Kleid, Armen und Beinen, die sich abwinkeln ließen, einem kleinen roten Mund, blauen Augen, die sich mit einem leisen Klicken schlossen, wenn Sidonie die Puppe schlafen legte, und Haaren, so blond wie die Haare der Lehrerin Schönauer.

Zu dritt hatten sie die Jausenbrote gegessen, die Hinteregger aus ihrer Tasche gezogen hatte, und waren dann auf den Pöstlingberg, den Linzer Hausberg am linken Donauufer, gestiegen. Dort fuhren sie mit der Grottenbahn, zwei Runden lang durch einen in den Felsen gesprengten Schacht, unter einem Firmament aus roten, grünen, gelben Glühbirnen vorbei an Zwergenärzten, die ein krankes Reh pflegten, an einem Zwergenphilosophen, der in einem dicken Buch las, einem toten Hasen, den Zwerge betrauerten.

Sie folgten dem Besucherstrom, Kindern an der Hand ihrer Mütter, Fronturlaubern in Wehrmachtsuniform, Gruppen von Jugendlichen, und stießen auf eine mittelalterliche Stadt mit bunt bemalten Fassaden aus Holz und Pappmaché. Eine Stadt für Zwerge; wenn sie sich auf die Zehenspitzen stellte, konnte Sidonie sogar durch die Fenster im ersten Stock schauen.

Auf dem Marktplatz stand ein Würstelmann, neben ihm hockte eine Frau, die Pilze verkaufte, eine andere bot Obst, Eier und Brot feil. Sidonie brauchte lange, um sich zu überzeugen, daß sie nicht atmeten. Verzückt, wie im Traum, ging sie vom einen zum anderen, bog in eine Seitengasse ab, geriet in einen Märchenwald, auf eine Lichtung mit dem grimmigen Rübezahl, vor ihm zwei verschreckte Kinder.

Reglos stand sie davor, stumm, bis ein Bub auf sie zeigte. Mama schau, ein Negerkind!

Bist selber ein Neger, sagte Sidonie.

Andere Besucher wurden auf sie aufmerksam. Ein älterer Mann begann zu dozieren: Bei uns gibt's keine Neger. Dank unserm Führer.

Der Junge gab nicht nach: Aber wo sie doch schwarz ist.

Vielleicht ist sie ein Zigeunermäderl, sagte seine Mutter.

Jetzt wollte er sich das Mädchen noch einmal genau ansehen. Aber die Stelle, an der er sie eben noch gesehen hatte, war leer.

7

Im Spätherbst zweiundvierzig, als ein trostloser Land-
regen die Wege und Straßen der Umgebung in Morast
verwandelte, erhielt Josefa Breirather den rätselhaften
Besuch eines Sierninger Gendarmen, der sich trotz wie-
derholter Aufforderung standhaft weigerte, unter Hinweis auf die dreckbespritzten Stiefel und die regennasse
Pelerine, auch nur einen Schritt in die Küche zu tun.
Lindner, wie der Mann seit 1938 hieß, weil er seinen ur-
sprünglichen Namen Lebeda auf Drängen des Postenkommandanten eingedeutscht hatte, wollte nur wissen,
ob das Ehepaar ein amtliches Schreiben aus Steyr oder
der Gauhauptstadt Linz erhalten habe. Nachdem Josefa
die Frage wahrheitsgemäß verneint hatte, schwieg er,
von der Antwort offensichtlich überrascht, so daß die
Frau ihrerseits fragte, ob so ein Schreiben denn hätte ein-
treffen sollen, von welcher Stelle und in welcher Angele-
genheit. Lindner sah, um eine Antwort verlegen, an ihr
vorbei ins Zimmer, senkte dann den Blick und starrte auf
die Türschwelle, wo sich rund um seine Stiefel eine
Pfütze gebildet hatte. Er dürfe das nicht sagen, meinte er,
auch wolle er sie nicht ohne Grund beunruhigen, sie
würden, er dämpfte die Stimme, zum gegebenen Zeitpunkt schon Nachricht bekommen. Er bitte sie nur,

dann nicht den Kopf zu verlieren und nichts zu unternehmen, was ihnen nur schaden könnte. Mit diesen Worten verschwand er so plötzlich wie er gekommen war, und Josefa unterließ es, aus Befremden über diesen unvermuteten Auftritt, ihrem ersten Impuls nachzugeben und ihm hinterherzulaufen, um sich Klarheit zu verschaffen.

Nachdem ihm Josefa von der Vorsprache des Gendarmen erzählt hatte, war Hans noch am Abend desselben Tages zu Lindner gegangen, der aber auch ihm nicht mehr zu sagen gewillt war. So beschlossen die Eheleute, vorerst einmal abzuwarten, im Wissen darum, daß es vergebliche Mühe wäre, einem Behördenschreiben zuvorzukommen.

An den nächsten Tagen wartete Josefa voll unruhiger Spannung auf das besagte Schreiben; wenn sie den Briefträger vom Schlafzimmerfenster aus die Straße herunterkommen sah, lief sie ihm entgegen und fragte, ob er etwas für sie dabeihabe. Jedesmal verneinte er, und jedesmal drängte sie ihn, den Stapel mit Feldpostkarten und Feldpostbriefen Stück für Stück durchzugehen. Dann erst atmete sie auf und konnte sich wieder, wenigstens für ein paar Stunden, auf ihre Hausarbeit, die alltäglichen Sorgen und Pflichten besinnen. Sie bat Hans, seine geheime Tätigkeit im Widerstand, die er auch nach Plackholms Verhaftung fortgesetzt hatte, für einige Zeit ruhen zu lassen, was er ihr auch versprach, schon aus Rücksicht auf seine Gefährten, wenn auch mit dem Einwand, daß es für solche Vorsichtsmaßnahmen wohl zu spät sei. Sollte die Maschinerie der Behörden, wie es den Anschein hatte, gegen ihn, oder gegen sie beide, schon in Gang gesetzt worden sein, würde ein Blindstellen, unbewegliches Verharren, eine unauffällige Existenz daran nichts mehr ändern können.

Wochen verstrichen, Weihnachten ging herum, ohne daß die seltsame Warnung des Gendarmen erklärt worden wäre, und allmählich geriet die Sache halb in Vergessenheit, bis eines Tages, am neunten März 1943, der Briefträger Josefa ein Schreiben übergab, dessen Umschlag sie mit zittrigen Händen öffnete.

Schon am Dreikönigstag hatte Cäcilia Grimm bei ihr angeklopft, Josefa war zusammengeschreckt und hatte der Eintretenden bestürzt entgegengesehen, so daß die andere innehielt, irregemacht, und fragte, ob sie denn ungelegen komme, oder ob sich Josefa unwohl fühle, weiß wie die Wand sei sie, und als die Frau den Kopf schüttelte, schob sie ihr einen Stuhl hin, hier, sie möge sich doch setzen. Josefa tat es, wobei sie sich schwer auf der Tischplatte aufstützte, und sah die Fürsorgerin immer noch stumm an, ehe sie ihr zu erklären versuchte, daß sie anderen Besuch befürchtet habe. Grimm lächelte; ihr Anliegen, sagte sie, sei auch dieses Mal kein anderes, als sich wieder einmal nach Sidonies Wohlergehen zu erkundigen, die Vorschrift, sie zuckte mit den Achseln. Auf Josefas sonderbares Verhalten ging sie mit keinem Wort mehr ein, lenkte das Gespräch aber, ohne daß dies der anderen auffiel, auf den mangelnden Schulerfolg des Mädchens und deren Neigung, den Pflegeeltern durch Liebesbeweise zu schmeicheln.

Weder das eine noch das andere war Josefa bisher der Rede wert gewesen, und erst jetzt, als sie den Brief wieder und wieder las, glaubte sie in Grimms damaligen Worten eine Drohung zu erkennen, die sich nun erfüllt hatte. In dem Schreiben gab die Leiterin des Jugendamtes Steyr-Land, Frau Käthe Korn, Hans und Josefa Breirather bekannt, daß die Ausforschung der Kindesmutter der minderjährigen Sidonie Adlersburg, richtig Berger, endlich Erfolg gezeitigt habe. Die Dienststelle sei angewiesen, das Mädchen ohne weitere Verzögerung der leiblichen Mutter zuzuführen. Die Pflegeeltern hätten sich umgehend, spätestens aber bis dreizehnten des Monats zu einer Vorsprache im unterfertigten Amte einzufinden.

Die Nachricht traf Josefa wie ein Schlag. Reglos stand sie da, den Brief in den Händen, während sie vergeblich versuchte, einen klaren Gedanken zu fassen. Dann fiel die Starre von ihr, und sie lief geschäftig in der Küche herum, trug die Tuchenten der Kinder hinüber ins Schlafzimmer, schlug die Betten auf, kehrte den Boden, holte Scheiter aus dem Schuppen im Hof, obwohl die Ofenlade noch voll war, ließ im Gang Wasser in die Kanne laufen, ging zurück in die Küche, dann wieder hinaus, nachzusehen, ob sie den Hahn auch zugedreht hatte, schob Reisig in den Ofen, stellte Wasser auf, alles mit ruhigen, tausendmal erprobten Handgriffen. Plötzlich würgte es sie, hörte sie einen langgezogenen, halb erstickten Schrei, bin ich das, dachte sie erstaunt, saß mit nassem Gesicht am Tisch und schälte Kartoffeln, blind vor Tränen, als Sidonie und Hilde von der Schule nach Hause kamen. Die Mädchen standen eine Weile hilflos vor ihr, schmiegten sich dann an sie, Sidonies Hände, die ihr die Tränen aus dem Gesicht zu wischen versuchten, vergeblich, die Fragen der Kinder, was ist denn, Mama, ist was passiert, bitte nicht weinen, stammelte Hilde noch, aber schon stiegen auch ihnen die Tränen hoch, und gleich darauf schluchzten alle drei.

Nur jetzt nicht den Kopf verlieren, sagte sich Josefa, schneuzte sich geräuschvoll, Signal für die Mädchen, mit dem Weinen, das doch so guttat, innezuhalten, fuhr sich mit der Schürze über das Gesicht und sagte mit heiserer Stimme, als sei nichts gewesen: Hände waschen, das Essen ist gleich fertig.

Aber nachher, als sie abgewaschen hatte und Sidonie mit Hilde im Schlafzimmer spielte, kam die Verzweiflung wieder in ihr hoch und der Drang, sofort etwas zu unternehmen, unmöglich durchzuhalten, bis Hans und Manfred, der seit Herbst in einer Steyrer Eisenhandlung als Lehrling arbeitete, nach Hause kamen.

Josefa schlüpfte in ihren Mantel, rief von der Tür noch, sie sei bald zurück, und lief durch den Schneematsch nach Sierninghofen hinüber, zum einstöckigen grauen Haus neben der Post, wo sie heftig, ohne sich erst die Worte zurechtzulegen und ohne zuzuwarten, bis ihr Atem wieder gleichmäßig ging, an die Tür klopfte.

Näherkommende Schritte im Flur, Grimms eher lustlose Stimme. Wer ist denn da. Josefa sagte ihren Namen. Der Schlüssel drehte sich im Schloß, dann wurde die Tür geöffnet, aber nur zögernd, als müsse sich die Fürsorgerin davon überzeugen, daß die Frau auf der Straße auch nicht gelogen habe. Grimm trug ein Kopftuch; während sie es abnahm und sich mit beiden Händen das Haar ordnete, sagte sie, sie sei gerade erst heimgekommen, es klang wie eine Entschuldigung. Josefa hörte sie nicht an.

Der Brief, stammelte sie, die Sidi. Warum haben Sie es mir nicht früher gesagt, Sie haben es doch gewußt.

Nichts habe ich gewußt, sagte Grimm und wich ihrem Blick aus. Es ist alles so schnell gekommen.

Ich bitt Sie, helfen Sie uns! Und weil die Fürsorgerin schwieg: Das geht doch nicht. Das darf man nicht machen. Wenn Sie ein Kind hätten!

Jetzt beruhigen Sie sich, bat Grimm. Stehen Sie auf.

Josefa hatte sich vor ihr niedergekniet und hielt die Hände flehend erhoben. Tun Sie dem Kind das nicht an, sagte sie mit erstickter Stimme. Zwei Männer gingen auf der Straße vorüber, sie schlugen einen Bogen und sahen sich dann neugierig nach den Frauen um. Der Fürsorgerin war das unangenehm.

Ich kann wirklich nichts tun, sagte sie. Meine Vorgesetzte, Korn, mit ihr müssen Sie reden. Aber stehen Sie endlich auf.

Sie machte einen Schritt nach vorn und wollte Josefa auf die Füße helfen. Die wehrte sich, wich Grimms Zugriff aus, kam dabei auf den nassen Boden zu sitzen.

Die Fürsorgerin wurde ungehalten. Sidonie kommt zu ihrer Mutter, sagte sie. Da gehört sie auch hin. Was wollen Sie denn noch! Dann versuchte sie es wieder im Guten. Gehen Sie heim. Reden Sie mit Ihrem Mann. Damit schloß sie die Tür hinter sich, nicht ohne sich vorher vergewissert zu haben, daß sich Josefa aufrappelte.

Hans stapfte durch den Schnee, sank in den Wächten bis über die Knie ein, kümmerte sich nicht um Petrak, der seinen Spuren folgte und Mühe hatte, nicht zurückzubleiben. Petrak schnaufte, er hatte weder Zeit noch Atem für ganze Sätze, stieß zwei, drei Worte hervor, in der Hoffnung, Hans damit zur Einsicht zu bringen, zum Stehenbleiben zu bewegen, aber der Mann vor ihm hielt nicht inne, drehte sich nicht um, stieg beharrlich höher und höher, jeder Schritt brachte ihn dem abgelegenen Gehöft näher, das er dort oben wußte.

In einem Waldstück, wo der Schnee niedriger lag, gelang es Petrak, zu Hans aufzuschließen, er lief neben ihm her und redete auf ihn ein, abgehackt, Hans, mach dich nicht unglücklich, du rettest das Kind nicht, die hobeln euch alle, schlagen deine Frau und den Manfred, bis du es ihnen sagst. Die Sidonie, schau, vielleicht kommt sie wirklich zu ihrer Mutter, was wissen wir schon, alle können sie ja nicht, er brachte den Satz nicht zu Ende, fiel wieder zurück, keuchte mit pfeifendem Atem hinter Hans her, der den Blick hob, vor ihm tauchte das Haus auf, kaum zu sehen unter der schweren Schneelast.

Der Bauer sah den Männern stumm entgegen. In der Stube bot er ihnen, mit einer Handbewegung, Platz an. Petrak ließ sich schwer auf die Bank fallen. Hans blieb stehen, begann zu erzählen und unterbrach sich unvermittelt: Ob der andere das Mädchen nicht bei sich verstecken könne.

Nein, Hans, das geht nicht.

Ein paar Wochen nur, Monate, sie würden dann schon eine andere Lösung finden.

Der Mann sah ihn offen an. Hans möge doch Vernunft annehmen, es wäre reiner Selbstmord, jetzt wiederholte er, was schon Petrak auf dem Herweg gesagt hatte, gibst du das Kind nicht ab, lieferst du dich ans Messer. Und nicht nur dich, auch die Frau und den Buben. Hans starrte ihn einen Augenblick schweigend an, stürzte dann grußlos aus der Stube. Gleich darauf sahen sie ihn am Fenster vorbeihasten. Lauf ihm nach, sagte der Bauer, sonst macht er noch eine Dummheit.

Hans stieg schleppend, fast achtlos, ins Tal hinab. Mehrmals kam er ins Rutschen, fiel auf den Rücken, raffte sich wieder auf, gab einsilbige Antworten. Petrak, der jetzt öfter auf ihn warten mußte, wollte Hans auf andere Gedanken bringen, aber alles, was ihm in den Sinn kam, hing irgendwie mit Sidonie zusammen, so verbat er sich das Reden, aber das Schweigen war noch unerträglicher, es könnt' ja noch schlimmer sein, sagte er schließlich, wer weiß, vielleicht hat sie's dort genauso gut, und überhaupt: ist doch nur eine Zigeunerin.

Kaum war ihm das herausgerutscht, lag er auch schon im Schnee, unter Hans, der ihn mit den Fäusten bearbeitete, ihm die Mütze vom Kopf schlug, was, schrie er, sag das noch einmal, schlug, schlug blind auf den Mann ein. Endlich kam er zur Besinnung, unendlich müde war er mit einem Mal, wälzte sich zur Seite, blieb mit dem Gesicht nach unten schwer atmend liegen, während der andere versuchte, erst mit Schnee, dann mit dem Sacktuch das Blut zu stillen, das aus seiner Nase tropfte.

Was Hans nicht wußte, weder an jenem dreizehnten März, an dem er der Leiterin des Jugendamtes gegenübersaß, noch all die Jahre später, in denen die Wunde nicht verheilen wollte: daß Korn log, als sie sich mit höherem Befehl zu rechtfertigen versuchte, als sie behauptete, Sidonie sei ihrer leiblichen Mutter zu übergeben, die Anordnung von höherer Stelle lasse keinen Ausweg zu, sie bedauere es zutiefst, zumal das Ehepaar Breirather, und sie wolle vor allem seiner Frau ihre Anerkennung nicht versagen, dem Mädchen stets die denkbar beste Pflege hätten angedeihen lassen. Kein Grund zur Klage, nie. Aber da sei nun einmal die Mutter, auch sie habe ein Anrecht auf Sidonie, da gebe es nichts zu deuteln.

Als Hans seinen Zweifel daran äußerte, ob diese Frau

nicht überhaupt eine Erfindung der Behörden sei, ein Vorwand, nicht mehr, das Mädchen wegzuschaffen, änderte Korn ihren Ton. Was erlauben Sie sich, wollen Sie den Beamten unterstellen, nicht korrekt vorzugehen und deutsche Reichsangehörige hinters Licht zu führen, ich muß mich schon sehr wundern.

Hans biß sich auf die Lippen, schwieg, Not macht nicht erfinderisch, sondern stumm, noch hoffte er, dieser Frau, die da vor ihm am Schreibtisch saß, harter Haarknoten im Nacken, keinen Widerspruch duldete und zum Wohle der Volksgemeinschaft ihre Arbeit erledigte, ein Zugeständnis zu entlocken, einen Aufschub, einen ganz kurzen Aufschub nur, sagen wir drei Monate, damit Sidonie wenigstens das Schuljahr fertigmachen kann.

Korn schüttelte den Kopf.

Und wenn wir auf das Pflegegeld verzichten, sagte Hans, ab sofort verzichten wir, und ich verspreche Ihnen, daß wir dem Magistrat alles zurückzahlen, in Raten, was wir für das Mädchen bisher bekommen haben. Wir kommen für alles auf, bis sie vierzehn Jahre alt ist, und sorgen auch dafür, daß sie später was lernt, Schneiderei, sie begreift schnell und ist flink.

Nichts zu machen. Befehl ist Befehl.

Hans griff zum letzten Mittel. Mehr zu sich sprach er aus, wovor ihm schauderte: Und wenn wir sie sterilisieren lassen. Die Frau hob jäh den Kopf. Was haben Sie eben gesagt? Sagen Sie das nochmal! Stille. Und Korns scharfe Stimme: Seien Sie froh, daß ich darüber jetzt keine Meldung mache.

Aber so aussichtslos hätte es nicht sein müssen. Gegen Ende des Vorjahres war dem Jugendamt und der Sierninger Gendarmerie zur Kenntnis gebracht worden, daß man in der Tiroler Ortschaft Hopfgarten, wo eine Zigeunersippe gezwungen war, Aufenthalt zu nehmen, einer gewissen Maria Berger, Zigeunername Dschudschi, Tochter der Christine Berger, habhaft geworden sei. Aufgrund der einstigen Ausschreibung im Zentralen Polizeiblatt sei man zur Überzeugung gelangt, daß es sich bei besagter Frauensperson um die außereheliche Mutter Sidonies handeln müsse; Maria Berger, ledig, ohne Beruf, staatenlos, habe dies nach anfänglichem Leugnen auch eingestanden, sei aber angeblich nicht in der Lage anzugeben, wo sie das Kind zur Welt gebracht habe. Nach einigem Hin und Her – Korn hatte den Geburtsort unbedingt in Erfahrung bringen wollen, um die von der Steyrer Fürsorge aufgewendeten Pflegebeiträge rückerstattet zu bekommen – war am siebten März ein Schreiben der Kriminalpolizei Innsbruck eingelangt, in dem *um kurze Beschreibung des Kindes, wie es sich im allgemeinen aufführt und wie die Ziehmutter, die Schule und erforderlichenfalls andere vertrauenswürdige Personen dieses im allgemeinen, besonders in charakterlicher Hinsicht beurteilen und ob das Kind der Ziehmutter zugetan sei und umgekehrt* gebeten wurde.

Für eine eindeutige Begutachtung des dortigen Jugendamtes besonders nach der Richtung, ob die Rücküberstellung des Kindes an dessen Mutter am Platze ist, bzw. gewünscht wird, wäre ich dankbar. Hiezu wäre allerdings zu erwägen, ob im Falle der Belassung der Sidonie bei der Pflegemutter nicht zu befürchten steht, daß bei demselben später die zigeunerischen Untugenden und Instinkte zutage treten, da es als Zigeunermischling, wenn nicht als Vollzigeuner (und zwar als Rom-Zigeuner) anzusehen sein dürfte. Beigefügt wird, daß eine Alimentation seitens der Kindeseltern, auch später, kaum zu erwarten ist. Ich ersuche um ausnahmsweise vordringliche Behandlung, da schon in nächster Zeit diesbezügliche Verfügungen getroffen werden müssen.

Frau Korn war entrüstet gewesen, als sie den Brief gelesen hatte. Keine genauen Richtlinien, man überließ ihr die Entscheidung. Jetzt haben wir den Scherben auf, sagte sie zu Grimm. Wie werden Sie entscheiden, fragte die andere. Ich, sagte Korn und lachte: Ich?

So kam es, daß die Fürsorgerinnen Minuspunkte sammelten. *Könnte manchmal etwas mehr folgen*, hatte Cäcilia Grimm nach ihrem Hausbesuch am Dreikönigstag notiert, und: *Pflegeeltern hängen mit überschwenglicher Liebe an dem Kind und läßt dies die Minderjährige nicht ganz unbenutzt.* Korn dagegen fragte beim Schuldirektor an, auch schriftlich, damit man ihr nicht am Zeug flicken konnte, *wie sich das Mädchen im allgemeinen aufführt, wie sein Verhalten den Lehrpersonen und* den Mitschülern gegenüber ist und ob sich besondere Charaktereigenschaften, sei es im guten oder schlechten Sinne, bemerkbar machen.

Schwer zu glauben, daß Oberlehrer Frick nicht wußte, was da auf dem Spiel stand. Ein Rückgrat hatte er, biegsam wie sein Rohrstock, mit dem er den Kindern die Rechtschreibung einbleute. Frick hätte zum Beispiel nur Gutes schreiben oder die Auskunft so allgemein halten können, daß niemandem gedient war. Aber sein pädagogischer Eifer war geweckt. Er war gefragt worden und wollte nach bestem Wissen und Gewissen antworten. *Das Mädel*, schrieb er mit sorgfältig gesetzten, nach rechts fallenden Lettern, *zeigt jetzt Aufmerksamkeit und Arbeitsfreude, lernt aber nicht leicht und fängt auch gleich zu weinen an, wenn sich Hindernisse ihr entgegenstellen. Schwierigkeiten bereitet dem Mädel das Rechnen, da es an der Zahlenauffassung fehlt. Das Mädel ist ängstlich, empfindlich, leicht gekränkt, mitunter etwas ungestüm, wenn es das Gewünschte nicht erreicht. Der Lehrkraft gegenüber ist es etwas scheu und geht scheinbar auf alles ein. Bei schlechter Benotung ist es empfindlich, ist ehrgeizig. Das Mädel ist bei den Pflegeeltern in guter Pflege u. Lernbeaufsichtigung, doch wäre mehr Strenge nötig.*

Käthe Korn wurde auch beim Sierninger Bürgermeister vorstellig. Eder wußte schon, worum es ging. Hans und Josefa hatten ihn angefleht, alles zu unternehmen, was in seiner Macht stand, Himmel und Erde in Bewegung zu setzen, damit sie Sidonie behalten könnten. Er war gerührt gewesen ob des Vertrauens in seine Person, er war halt doch wer, versprach, sich für das Mädchen einzusetzen, aber als Korn ihm jetzt die Tragweite des Falls bewußtmachte, war ihm nicht wohl in seiner Haut. Solange Sidonie hier lebt, ist der Fall nicht aus der Welt geschafft. Sind Sie also dafür, daß sie wegkommt? So wolle er das nicht sagen, die Breirather seien ja anständige Leute. Vielleicht könne er sich andersherum besser verständlich machen; schreiben Sie: Ich finde es ganz in Ordnung, wenn das Kind zu seiner Mutter kommt, und befürworte dies auch jederzeit.

Auch Oberinspektor Siegfried Schiffler, der dem Landkreis Steyr vorstand, plädierte aus streng humanitären Erwägungen für eine Überstellung des Mädchens. Ein Kind gehört zu seiner Mutter, sagte er, das ist immer besser, und außerdem: wer weiß, was die Zukunft bringt. Heiraten darf es nicht, kriegt es Kinder, fallen die nur der Gemeinde oder der Fürsorge zur Last, und eine Zigeunerin bleibt immer eine Zigeunerin, da kann man machen, was man will. Bei ihrer Mutter, da ist sie unter ihren Artgenossen, merkt keine Unterschiede und lebt sich schnell ein. Und was das Angebot des Pflegevaters betrifft, sie umsonst zu behalten: er könnte ja verunglücken, was dann? Und was, wenn sie mit der Schule fertig ist, eine Lehre darf sie als Zigeunerkind ja auch nicht machen.

Bestialität des Anstands. *Obwohl sich bisher*, schrieb

Korn in ihrer Antwort an die Kriminalpolizeistelle in Innsbruck, *im Wesen der Sidonie Berger (Adlersburg) nichts Zigeunerhaftes gezeigt hat, halte ich es doch für besser, wenn die Minderjährige schon jetzt zur Mutter kommt, denn je größer das Kind wird, desto mehr wird und muß schließlich einmal der Abstand zwischen der Minderjährigen und ihren Altersgenossen zutage treten. Bei dem Ehrgeiz und der Empfindlichkeit des Mädchens ist es jetzt noch nicht abzusehen, wie sich die früher oder später doch auftretende Erkenntnis, daß sie den bisherigen Mitschülern u. Mitschülerinnen nicht gleichgestellt werden kann, auswirkt. Schon aus diesem Grunde halte ich es für besser, wenn das Kind schon jetzt zur Mutter kommt, denn später wird sie sich noch schwerer in die Verhältnisse, in die sie wegen ihrer Abstammung doch einmal verwiesen wird, finden.*

Schon nach vier Tagen kam die Antwort. Es werde ersucht veranlassen zu wollen, daß das Kind Sidonie Berger, falsch Adlersburg, *ehestens, und zwar bestimmt bis längstens 30. März 1943* an ihre Mutter überstellt werde. Korn lud Hans Breirather wieder vor, um ihm das Schreiben zur Kenntnis zu bringen. Hans schwankte zwischen Wut und Verzweiflung, weinte haltlos, äußerte nur noch einen letzten Wunsch, diese Qual nicht zu verlängern. Dann stürzte er aus dem Zimmer, grußlos, wie die Frau mißbilligend vermerkte.

8

Aufgescheucht lief Sidonie zwischen Küche und Schlafzimmer hin und her. Einmal krallte sie sich in heißer
Trennungsangst an Josefa, dann wieder prahlte sie vor
Hilde mit einem abenteuerlichen Leben, das sie an der
Seite ihrer neuen Mutter führen würde, und kündigte
ihr an, mit großzügigen Geschenken wiederzukommen,
einer Puppe, die der ihren aufs Haar gleichen werde und
außerdem drei Schritte gehen konnte, einem ganzen
Sack Würfelzucker und vielleicht noch weißen Schlitt-
schuhen. Hilde wußte nicht recht, was sie von diesen
Versprechen halten sollte, aber sie wagte es nicht, an
ihnen zu zweifeln, zumal weder Josefa noch Manfred
Einspruch erhoben, sondern darauf bedacht waren, Sidonies bange Vorfreude nicht zu schmälern.

Am Nachmittag kamen Josefas Tanten vorbei, mit
Schachteln voller Biskuit und Kekse als Reiseproviant,
dann schaute Frau Hinteregger auf einen Sprung herein
und schenkte Sidonie eine Kette mit braunen Glasperlen,
es war wie zu Weihnachten, fand das Mädchen, nur die
Stimmen gedämpft, hinter Glas, kein lautes Wort, kein
Lachen, eine aufgesetzte Munterkeit selbst von den
Nachbarskindern, die ihr eine Zeichnung brachten,
einen Radiergummi, eine aus einem Stück Holz ge-

schnitzte Kuh. Verstohlene Tränen, das Mädchen bemerkte sie nicht.

Manfred stand am Fenster und hielt ein Foto in der Hand, von dem er immer wieder hochblickte, um es mit der Aussicht zu vergleichen, die sich von seinem Standort aus bot. Befriedigt von der Übereinstimmung von Natur und Abbild, rief er Sidonie zu sich und streckte ihr das Foto entgegen. Ein Stück von der Straße war zu sehen, die Wiese mit dem alten Birnbaum, Fluß und Bahndamm, der bewaldete Hang am anderen Ufer, Buchen, Eichen, Kreuzdorn, dazwischen lichte Stellen, wo im Februar Schneerosen blühten.

Sidonie nickte anerkennend.

Gut getroffen, sagte sie, stimmt fast.

Manfred drehte das Foto um.

Auf der Rückseite stand, in Druckbuchstaben: Gehört Sidonie Adlersburg. Zur Erinnerung und damit ich zurückfinde. Echte Photographie aufgenommen von meinem Bruder Manfred Breirather im Monat März 1943.

Sidonie lief mit dem Foto hinüber in die Küche, wo Josefa den Rucksack packte, sah der Frau zu, hüpfte auf einem Bein ins Schlafzimmer, kam zurück mit Josefas Lieblingsbluse, weiß, mit Rüschen. Sie legte die Bluse auf den Wäschestapel neben dem Rucksack. Josefa schüttelte den Kopf, aber noch ehe sie etwas sagen konnte, bat das Mädchen: Pack es auch ein. Ich brauch doch ein Geschenk für meine neue Mama. Dann sah sie ihre Zeugnisse und die Schulbücher. Darf ich die auch mitnehmen? Aber ja, sagte Josefa. Und Sidonie: Schade, daß die Lehrerin Schönauer nicht mitkommt.

Später stapfte sie mit dem Rucksack auf dem Rücken in der Wohnung umher, während Josefa eine Korrespondenzkarte, auf der Manfred den Empfänger – Familie Breirather, Letten Nr. 200, Post Neuzeug, Oberdonau – schon eingetragen hatte, ins Mantelfutter einnähte. Es war derselbe Mantel, gekürzt und gewendet, in dem sie das Mädchen vor zehn Jahren nach Hause gebracht hatte. Zwei weitere Karten steckten in der Außentasche des Rucksacks, und Josefa ermahnte Sidonie, ihnen gleich nach der Ankunft zu schreiben und die Adresse auf dem Absender nicht zu vergessen.

Nachts war Sidonies Freude verflogen. Mit offenen Augen lag sie neben Hilde und sah Josefa stumm entgegen, als die Frau, die auch keinen Schlaf fand, gegen Mitternacht nachschauen kam.

Sidi, du mußt schlafen, sagte Josefa leise.

Das Mädchen schwieg.

Darfst morgen mit dem Zug fahren.

Bis Linz, fragte Sidonie mit dünner Stimme.

Weiter, viel weiter!

Josefa zog ihr die Tuchent bis zum Kinn hoch. Aber das Mädchen deckte sich wieder ab und hielt Josefa ihre Puppe entgegen.

Sie fürchtet sich, sagte sie, darf sie bei dir schlafen?

Es war noch finster, als Josefa aufstand und in der Küche unterheizte. Wenig später kam Hans von der Nachtschicht nach Hause. Er nickte seiner Frau zu und setzte sich ans Kinderbett. Jetzt hatte Sidonie die Augen geschlossen, aber als er ihre Hand zwischen die seinen nahm, erwachte sie und sah ihn fragend an.

Josefa bemühte sich, die Trostlosigkeit der Stunde durch besondere Geschäftigkeit wettzumachen. Sie klapperte mit den Töpfen, hieb die Tassen auf den Tisch und war fast erleichtert, als die Milch überkochte. Sie zog Manfred die Decke weg, kitzelte Hilde munter, ließ die Rollos in die Höhe rasseln, aber die bedrückte Stimmung wich nicht, sosehr sie sich auch anstrengte. Unbeschwert schien nur Sidonie zu sein, die sich immer wieder nach der Abfahrtszeit erkundigte.

Nach dem Frühstück standen Manfred und seine Eltern unschlüssig herum, dann küßte Sidonie ihren Bruder und umarmte, fast gönnerhaft, Hilde, die fest daran glaubte, daß Sidonie bald, vielleicht schon morgen, wieder zurück sein werde. Dann der Abschied von Hans, der mit einem Mal so ein komisches Gesicht hatte, den Mund schmal und lang, als würde er lachen, aber es war kein Lachen. Er nestelte an ihren Knöpfen herum, wollte er ihr den Mantel wieder aufmachen, schnell befahl sie ihm, auch die Puppe zu küssen, er tat es und vergrub sein Gesicht in den Händen. Josefa schulterte den Rucksack und stieg hinter Sidonie die Treppe hinab. Bevor sie die Haustür erreichten, kam ihnen Hans nachgestürzt, faßte das Kind grob an der Schulter und rüttelte es: Lauf weg. Weglaufen mußt du ihnen, hörst du!

Durch den Frühnebel gingen Josefa und Sidonie die Straße hinunter zur Haltestelle. In der Kälte wurde das Mädchen gesprächig, erzählte der Frau zum fünften Mal, daß ihr auch die Lehrerin eine gute Reise gewünscht habe und sogar Oberlehrer Frick. Die anderen Kinder hatten sie bestürmt, ihnen zu schreiben, jedem einzeln, aber das schaffe ich nicht, sagte sie besorgt, so viele Karten. Glaubst du, Frau Grimm läßt mich beim Fenster sitzen, fragte sie. Josefa nickte. Hoffentlich versäumen wir den Zug nicht, sagte Sidonie. Vielleicht finde ich eine Freundin. Und dann, nach einer Weile: Ob meine Mutter noch andere Kinder hat? Ich weiß es nicht, sagte Josefa. Glaubst du, daß sie so ausschaut wie du? Die Frau schüttelte den Kopf. Hoffentlich paßt ihr deine Bluse. Sie redete ihrer Puppe gut zu. Wenn du brav bist, darfst du die ganze Zeit neben mir sitzen.

Vor dem Wartehäuschen standen schon ein paar Männer, die zur Frühschicht ins Werk fuhren. Einige nickten Josefa zu, scheu, etwas befangen, wie die Frau spürte, keiner richtete ein Wort an Sidonie, auch der Bürgermeister nicht, der, ohne sich um das Mädchen zu kümmern, Josefa versicherte, wie nahe ihm das alles gehe. Sein Einfluß habe leider nicht ausgereicht, um dem Fall eine Wendung zu geben, er hoffe nur, dem Kind werde es bei seiner Mutter gefallen, bei diesen Worten strich er Sidonie verlegen übers Haar. Als dann der Zug in die Station einfuhr, trat er hastig zurück, wartete aber noch, bis die Frau mit dem Kind zugestiegen war und die Lokomotive pfauchend anruckte, ehe er, gerührt über seine Anteilnahme, aber überzeugt, letztlich die richtige Entscheidung getroffen zu haben, nach Sierning hinaufging, seinen Geschäften nach.

Grimm stieg beim nächsten Halt, in Neuzeug, zu. Sie trug einen schweren Herrenmantel, den sie gar nicht erst auszog, und legte ihren schmalen Pappkoffer neben sich auf die Sitzbank. Die Frauen taten sich schwer, miteinander ins Gespräch zu kommen. Die Fürsorgerin wich Josefas Blicken aus, hüstelte mehrmals und zeigte sich unerwartet interessiert an allem, was vor dem Fenster an ihnen vorüberzog, Fluß, Aulandschaft, die Werkhallen Unterhimmels.

Dann standen sie, immer noch schweigend, im Wartesaal des Steyrer Bahnhofs. Endlich fuhr der Zug nach Linz auf dem Bahnsteig ein, zielstrebig steuerte Grimm einen Wagen an. Josefa zog Sidonie hinter sich her. Sie stiegen auf die Plattform, folgten der Fürsorgerin durch den Mittelgang, ein leeres Abteil, Grimm verstaute ihren Koffer im Gepäcknetz. Josefa schob den Rucksack hinterher, während sich die andere niedersetzte, auch jetzt wieder, ohne den Mantel auszuziehen.

Das ist die Stelle, an der sich der Chronist nicht länger hinter Fakten und Mutmaßungen verbergen kann. An der er seine ohnmächtige Wut hinausschreien möchte. Sidonies Ahnungslosigkeit. Ihre plötzliche Furcht. Wie sie sich halb umdreht und an Josefa klammert. Deren Tränen. Sidonies Tränen. Josefas hilfloser Versuch, das Mädchen zu trösten. Du mußt tapfer sein, Sidi. Ich will nicht zu dieser Frau fahren. Du mußt. Ich will bei dir bleiben. Das geht nicht. Du mußt mitfahren. Ich kann nicht. Ich komm zurück. Wir vergessen dich nicht. Grüß alle schön von mir. Wein nicht. Ich wein ja gar nicht. Es wird alles gut.

Draußen plärrte der Lautsprecher. Gehn Sie, schrie Grimm und packte Sidonie am Arm. Gehen Sie endlich!

Es gelang Josefa, sich loszumachen, sie lief durch den Wagen, das Weinen des Kindes immer lauter, steckte die Finger in die Ohren, gellender Schrei, kaum stand sie unten auf dem Bahnsteig, ruckte der Zug an, weißes Taschentuch, kleine Hand, sie winkte nicht zurück.

Wie Cäcilia Grimm Jahrzehnte später berichtete, habe sich das Mädchen bald beruhigt, zurückgesetzt und leise auf ihre Puppe eingeredet. Die lange Bahnfahrt sei ohne Zwischenfälle verlaufen. Die längste Zeit seien sie und das Kind allein im Abteil gewesen. In Attnang-Puchheim allerdings sei eine Frau zugestiegen und habe sich zu ihnen gesetzt. Die Frau habe gleich eine Jause ausgepackt und ungeniert, und ohne den Mitreisenden etwas anzubieten, zu essen angefangen. Dicke Scheiben Wurst habe sie sich, in dieser Notzeit, in den Mund gestopft und regelrecht verschlungen. Dabei habe die Frau, die an die neunzig Kilo gewogen haben dürfte, immer wieder das Kind angestarrt und schließlich, zwischen Happen und Happen, mit dem Messer auf Sidonie deutend, geschnauft: Das Dirndl ist aber schwarz. Und weil sie, Grimm, weiter geschwiegen habe: So ein schwarzes Dirndl. Darauf habe sie, knapp und unfreundlich, um eine Unterhaltung erst gar nicht in Gang zu bringen, erwidert: Weil's immer in der Sonne ist. Aber die andere habe sich nicht verkneifen können, noch eine Bemerkung hinzuzufügen: Ach so, jetzt im Winter? Sie, Grimm, habe dazu geschwiegen, und gottseidank sei die Frau in Salzburg schon ausgestiegen.

Ferner seien gegen Ende ihrer Reise, in der Haltestelle Fieberbrunn, Männer ins Abteil gekommen, die sie einwandfrei als Zigeuner erkannt habe, und hätten Sidonie, die längst eingeschlafen war, verstohlen gemustert, ehe sich einer von ihnen an sie, Grimm, gewandt habe. Ob sie denn auch nach Hopfgarten wollten, und als Grimm nickte: man sei von ihrem Kommen bereits verständigt worden. Auf die Frage der Fürsorgerin, ob sie sich denn in der Gegend frei bewegen dürfen, schüttelte der Älteste den Kopf. Nur in einem Umkreis von sechs Kilometern, berichtete er, für die Fahrt zur und von der Arbeit würden sie einen Passierschein benötigen. Bald danach habe sie das Mädchen wachgerüttelt und die Männer gebeten, ihr Koffer und Rucksack aus dem Gepäcknetz zu heben. Als der Zug aber in Hopfgarten eingefahren sei und sie den Weg zur Gendarmerie erfragen wollte, seien die Zigeuner verschwunden gewesen.

9

Die Ortschaft Hopfgarten, der im vierzehnten Jahrhundert vom Salzburger Erzbischof das Marktrecht verliehen wurde, liegt im engen Tal der Brixener Ache, an der Straße, die von Kitzbühel nach Wörgl führt. Die Gendarmen, die hier seit Mitte des vergangenen Jahrhunderts auf Recht und Ordnung sahen, hatten seit jeher nicht allzu viel Arbeit, sieht man von der Schlichtung von Raufhändeln, vorzugsweise beim Frühschoppen nach der Sonntagsmesse, und der rastlosen Verfolgung von Wilderern einmal ab. Die meisten Bewohner waren Bauern, die den steilen Wiesen ihren Lebensunterhalt mühsam abrangen. Es gab keinen Müßiggang und also auch keine Sünde, die der Pfarrer auf der Kanzel unermüdlich anprangerte.

Aber im Jahr neunundzwanzig hatte eine Reihe von Untaten eingesetzt, die den Markt, weit mehr als Not und Unruhe draußen in der Welt, in Angst und Schrecken versetzte. Zwei Dutzend Brandstiftungen und mehrere Morde, mit und ohne Raubabsicht, erschütterten den Ort, entzweiten Familien, säten Argwohn und bewirkten, daß Haustüren schon zu Mittag versperrt wurden, Männer, Frauen, selbst Kinder einander nachspionierten und sich im Postenkommando anonyme

Anzeigen häuften. Vier Jahre lang verliefen alle Nachforschungen nach den Tätern ergebnislos, bis an einem warmen Juniabend in zwei Gehöften gleichzeitig Feuer ausbrach. Während die Nachbarn zusammenliefen und Wasserkübel zu den Brandstätten schleppten, begaben sich auch die Gendarmen in aller Eile zum Tatort. Dort hatte eine Bäuerin inzwischen frische Fußspuren abgedeckt, die aller Wahrscheinlichkeit nach von den Brandstiftern stammten. Den Postenkommandanten erreichte die Nachricht verspätet, im Gasthaus Krone, wo er noch einen tiefen Zug aus dem schäumenden Bierkrug machte, bevor er die Gaststube verließ. Als er an einer Beschlaghütte vorbeihastete, glaubte er, eine Bewegung an der Tür wahrzunehmen, rief Halt! und zog die Pistole. Da sich nichts rührte, drohte er zu schießen. Erst jetzt lösten sich zwei Gestalten aus dem Schatten; Tischlergehilfen, die er vom Sehen her kannte. Auf seine Frage, was sie denn da trieben, gaben sie ausweichende Antworten, nichts Besonderes, spazieren seien sie gewesen, unten an der Ache, nein, den Feuerschein am andern Ufer hätten sie nicht bemerkt. Felser, so lautete der Name des Revierinspektors, ließ sie nach kurzem Überlegen laufen und machte, daß er zum Schauplatz des Anschlags kam. Dort war der Brand inzwischen eingedämmt worden, ohne daß größeres Unheil geschehen war. Nach Sichtung der Fußspuren erklärte Felser zur Überraschung aller, die Täter zu kennen. Gegen drei Uhr früh wurden die Burschen aus ihren Betten geholt.

Die Gendarmen verglichen ihre Schuhsohlen mit den Abdrücken; kein Zweifel, sie waren am Tatort gewesen. Im Kreuzverhör brach einer der beiden Tischler bald zusammen. Er legte nicht nur ein Geständnis ab, sondern nannte den Beamten auch einen dritten, der sie bei ihren Verbrechen unterstützt hatte. Ein Jahr später wurden sie von einem Innsbrucker Schwurgericht zu lebenslangem Kerker, verschärft durch Dunkelhaft an allen Jahrestagen ihrer Untaten, verurteilt. Schlüssige Gründe für dieselben vermochten sie, außer Rachsucht in den wenigsten Fällen und Verachtung der rechtschaffenen Welt in allen übrigen, nicht anzuführen.

Es dauerte lange, bis die Dorfgemeinschaft wieder zusammenwuchs. So wie früher wurde es nie mehr. Der neue Postenkommandant gab die Schuld daran den bewegten großen Zeiten. Recht und Unrecht waren bisher klar zu unterscheiden gewesen. Totschlag, Diebstahl, selbst das Besprechen oder Verhexen fremden Viehs hatten klare Verursacher, das tausendjährige Reich verwischte die Grenzen zwischen Mein und Dein, Schuld und Unschuld, im Gestrüpp von Paragraphen, Weisungen, Verordnungen verhedderten sich die Gendarmen hoffnungslos, sahen sich zudem in ihren Kompetenzen beschnitten, mußten für jeden Schritt den Behörden in der Gauhauptstadt Rechenschaft ablegen, was wußten diese Federfuchser mit ihren glatten Gesichtern und polierten Stiefeln schon von den ungeschriebenen Gesetzen und Bräuchen eines Bauernfleckens.

Seltsame Tatbestände fielen jetzt in die Zuständigkeit des Postens, Rundfunkverbrechen, Heimtücke, das Erzählen von Witzen oder das Beschmieren von Fahnenstoff mit schwarzer Schuhcreme. Im Jahr vierzig mußten die Gendarmen sogar die Bäuerinnen drüben in Penning anzeigen, weil sie ihre Kinder am Fronleichnamstag nicht in die Schule geschickt hatten.

Dann fremde Gesichter, die man seit dem Bau der Bahnlinie, Ende des vergangenen Jahrhunderts, nicht mehr gesehen hatte. Jetzt wurden Frauen und Kinder aus Essen hierher verschickt, wo sie vor Bombenangriffen sicher waren, und wieder kamen sie, die Gendarmen, zum Handkuß, mußten von Hinz zu Kunz laufen, langmächtige Listen anlegen, Namen aufschreiben und abhaken. Erst nach Monaten kamen sie dahinter, daß sich unter den Fremden auch eine Jüdin befand, die sich ohne Judenstern, und unter Beihilfe der anderen Frauen, in den Transport geschwindelt hatte. Ein peinliches und dem Ansehen der Gendarmerie nicht eben förderliches Bild, als man Eva Sarah Wolff, die sich mit Händen und Füßen wehrte, aus ihrem Quartier schleifen mußte.

Dabei begann man sich eben erst an die Zigeuner zu gewöhnen. Den Sippen Berger und Adlersburg hatte man im Jahr neununddreißig, im Oktober, Unterkünfte in mehreren Gasthöfen zuweisen müssen, nachdem ein Erlaß den Zigeunern das Herumstreunen untersagt hatte. Sie waren dort angehalten worden, wo sie sich zum Stichtag gerade befanden. Ihr Oberhaupt, Anton

Larg, war bei den Bauern recht angesehen, der beste Roßhändler weit und breit, man machte keine schlechten Geschäfte mit ihm. Die jüngeren Männer arbeiteten in der Ziegelei oder beim Baumeister, sie waren tüchtig, packten fest zu. Aber sie wurden leider auch umschwärmt, weiß der Teufel, was die Mädchen im Markt an ihnen fanden, mannstolle Weiber, darunter sogar die Angerer Maridl, Tochter eines Hilfsgendarmen, der alle Zigeuner am liebsten eigenhändig erwürgt hätte. Ganz Hopfgarten eine einzige Gerüchtekammer, die mit dem und der mit der. Den Mädchen wurde eine Glatze geschnitten, die Burschen kamen mit 21 Tagen Dorfkotter glimpflich davon. Die Abschreckung nützte wenig; bald hieß es wieder: Komm mit, sing uns was vor. Denn singen konnte diese Bande, daß einem das Herz weich wurde, und jodeln, besser als jede Sennerin. Nachrichten über die unhaltbaren Zustände im Ort drangen bis Innsbruck, und wieder hatten die Gendarmen den Scherben auf. Es war Sache des Bürgermeisters, dieses Gesindel wenigstens den Blicken der Dorfbewohner zu entziehen. So wurde am anderen Ufer, oberhalb des Ortsteils Kühle Luft, eine Baracke aufgestellt, in der dann die Zigeuner hausten, ohne die guten Sitten zu stören.

Nachdem Cäcilia Grimm Sidonie ordnungsgemäß übergeben hatte, fragte sie einen Gendarmen, wo denn diese Menschen untergebracht seien. Kommen Sie, sagte der Mann und nahm sie mit auf seinen Rundgang durch das Revier. Von fern zeigte er ihr die Baracke, aus deren Schornstein feiner Rauch stieg. Nähertreten, gar das Innere besichtigen wollte die Frau nicht. Und was geschieht mit ihnen, fragte sie. Der Gendarm zuckte die Achseln.

Drei Stunden vorher war Grimm mit dem Mädchen am Gendarmerieposten eingelangt. Auf dem Weg hinein ins Dorf war Sidonie immer weiter zurückgeblieben, die Fürsorgerin hatte wiederholt auf sie warten müssen, sie schließlich an die Hand genommen und mit sanfter Gewalt vorwärtsgezogen. Dann saßen sie nebeneinander in der Wachstube, dem Revierinspektor gegenüber, der Grimms Bemühungen, ein Gespräch zu beginnen, mit einsilbigen Antworten durchkreuzte. Nach einiger Zeit kam der um Maria Berger geschickte Gendarm mit der Nachricht zurück, dieselbe warte samt dem Sippenältesten, Larg, im Gemeindeamt auf sie. Denn der Bürgermeister habe angeordnet, daß die Übergabe des Mädchens der Ordnung halber und zur Erfassung der persönlichen Daten in seiner Anwesenheit erfolgen müsse.

Das Gemeindeamt war im selben Gebäude, der ehemaligen Fronfeste, auf der Vorderseite untergebracht. Beim Eintreten schob Grimm das Mädchen vor sich her; vor dem Schreibtisch des Bürgermeisters, dessen Oberlippe ein sorgfältig gestutztes, briefmarkengroßes Bärtchen zierte, standen ein Mann und zwei Frauen, die den Eintretenden verschreckt entgegensahen.

Jahrzehnte später sollte Gertraud Embacher, die ebenfalls dabei war, weil sie provisorisch als Gemeindesekretärin amtierte, dem Chronisten erzählen, daß Sidonies Mutter etwas über dreißig Jahre alt war, aber um einiges älter aussah. Das Kind habe, als es angewiesen wurde, auf sie zuzugehen, jämmerlich zu weinen begonnen. Es habe sich gesträubt und an den Rock der Fürsorgerin aus Steyr geklammert. Auch Berger sei wie angewurzelt stehengeblieben. Dann habe sie sich, mit unangebrachtem Vorwurf in der Stimme, an Bürgermeister Basilius Salcher gewandt: Was soll ich mit dem Kind anfangen. Es fürchtet sich ja vor mir. Und lauter, mit Tränen in den Augen und gefalteten Händen, zu Sidonies Begleiterin: Um Gottes willen, nehmen sie es wieder mit.

Schweigen, Hüsteln, das Schluchzen des Mädchens. Schließlich ging die andere Frau, Marias Schwägerin, die keine Zigeunerin war, auf Sidonie zu und versuchte das Kind zu beruhigen. Brauchst keine Angst zu haben, flüsterte sie und streichelte es. Kommst mit, ich zeig dir was Schönes. Dann nahm sie es auf den Arm, küßte es und trug es aus dem Zimmer. Sidonie wehrte sich nicht mehr. Maria Berger folgte ihnen, mit dem Rucksack in der einen, der Puppe in der anderen Hand. Als letzter verschwand Larg, der sich in der Tür noch einmal umdrehte und laut grüßte.

Am nächsten Tag fuhr Cäcilia Grimm zurück nach Steyr. Hätte sie vor ihrer Abreise das Bedürfnis gespürt, und demselben nachgegeben, das Mädchen noch einmal, ein letztes Mal, zu sehen, wäre sie vielleicht überrascht gewesen, in der Baracke bis auf ein paar Fetzen nichts vorzufinden. Die Tür wäre, trotz der immer noch winterlichen Kälte, offen gestanden, ein Stuhl umgeworfen gewesen. Wahrscheinlich hätte das Feuer im Kamin noch geglost. Vielleicht hätte sie auch, wäre sie statt nach Steyr Richtung Innsbruck gefahren, vom Zug aus auf der Landstraße, die ein Stück neben der Bahnlinie herlief, oder vor einem beschrankten Übergang einen Lastwagen zu Gesicht bekommen, auf dem sich, verdeckt von der Plane, auch Sidonie befand.

Einige Tage später, um den dritten April herum, kam ein Bekannter der Familie Breirather auf Fronturlaub heim. Georg Fink stand eines Tages in der Tür, lächelte matt, schlug den Schnaps aus, setzte sich nicht. Ich hab sie gesehen.

Als sein Zug in den Linzer Hauptbahnhof gerollt war und die Soldaten sich zum Aussteigen fertiggemacht hatten, war Fink, der seit Wien gedöst hatte, durch die allgemeine Unruhe aufgeschreckt. Verwirrt hatte er um sich gesehen und einige Zeit gebraucht, bis er erkannte, wo er sich befand. Jetzt, nach dem Erwachen, fror ihn; er lehnte sich vor und schaute aus dem Fenster. Draußen fuhr, auf dem Nebengleis, ein Güterzug in entgegengesetzter Richtung aus der Station. An den letzten Waggon waren zwei Personenwagen angehängt, dunkle Köpfe an den Fenstern. Plötzlich glaubte Fink, im letzten Wagen Sidonie wahrzunehmen, ein tränenloses Gesicht, das ihn ohne ein Zeichen des Wiedererkennens ansah. Er sprang auf, versuchte zu winken, drängte sich zwischen den Fahrgästen durch den Mittelgang, gegen die eigene Fahrtrichtung, um auf gleicher Höhe mit dem Mädchen zu bleiben. Die anderen schimpften und lachten über den Mann, der mit den Armen ruderte, um schneller voranzukommen. Aber der Güterzug drüben gewann an Fahrt, er verlor das Mädchen aus den Augen, wurde nach hinten geworfen, als sein Zug kreischend hielt.

Ja, so sei es gewesen, und er könne beschwören, daß er sich nicht geirrt habe, sogar den Mantel habe er wiedererkannt, Josefas Mantel mit dem auffälligen runden Kragen. So bestürzt sei er gewesen, daß es ihm gar nicht in den Sinn gekommen sei, das Fenster aufzureißen und dem Kind zuzurufen, was es denn in dem Zug mache, wohin es denn fahre, wo denn Hans und Josefa seien. Nach dem Aussteigen habe er sich im Bahnhof vorsichtig nach dem Bestimmungsort des Transportes erkundigt.

Ich bitte dich, sagte er zu Hans, erzähl deiner Frau nichts davon.

10

Am fünften Mai, um 10 Uhr 17, war für die Gemeinde Sierning der Krieg zu Ende. Die amerikanischen Truppen der 71. Infanterie-Division kamen vom Westen her, auf derselben Straße, durch die vor sieben Jahren die deutsche Wehrmacht marschiert war. Noch bevor der erste Spähtrupp den Marktplatz erreichte, erschoß Bürgermeister Eder seine Frau. Dann setzte er sich selbst die Pistole an die Schläfe.

Man brauchte schnell einen Nachfolger, die Amerikaner drängten, unbelastet mußte er sein und ortskundig, den Bewohnern vertraut und doch respekteinflößend; kein Hampelmann, den man herumschicken konnte. Ehemalige Genossen vom Schutzbund erinnerten sich an Hans Breirather. Hans, jetzt brauchen wir dich. Und als er sich anfangs sträubte, weil es ihm zu schnell ging: Hilf uns, bist ja auch ein Roter.

Schon, aber ein anderer.

Das war jetzt noch nicht wichtig. Hauptsache, sie fanden einen mit weißer Weste. Bloß als Hans die Liste des provisorischen Gemeinderats dem Bezirkshauptmann vorlegte, einem christlich-sozialen Großbauern und Ziegeleibesitzer, strich sich der verlegen seinen Schnauzer. Mit einem Kommunisten als Bürgermeister, sagte er, brauch ich es beim Militärkommandanten erst gar nicht probieren. Laß dir was einfallen.

So kam es, daß Hans als Mitglied einer erfundenen Partei, der Linksradikalen Österreichs, zum Bürgermeister der Gemeinde Sierning bestellt wurde. Eine undankbare Aufgabe; schwer, die Bevölkerung in den ersten Monaten mit Nahrungsmitteln und Bekleidung zu versorgen, samt Flüchtlingen und versprengten Wehrmachtsangehörigen wuchs die Zahl der Einwohner auf 10 000 an. Der Schwarzmarkt erschwerte eine gerechte Verteilung. Dazu kamen das Mißtrauen der Besatzungsmacht und die Klagen der Bewohner. Hans war tagelang unterwegs, verbrachte halbe Nächte im Gemeindeamt. Jetzt suchten sie Hilfe bei ihm, die ihn in den Jahren zuvor allein gelassen hatten, Jaschreier, Großdeutsche, Hundertfünfzigprozentige.

Wie vorherzusehen, verlor seine Partei die ersten Wahlen im Herbst fünfundvierzig. Hans aber war beliebt. Könnte er nicht doch. Durch ein Parteienabkommen vielleicht. Vor allem dem konservativen Listenführer lag das am Herzen. Die Sozialisten hatten auch nichts gegen einen Bürgermeister Breirather. Vorausgesetzt, du kommst zu uns. Sie malten ihm eine rosige Zukunft aus, zuerst Bürgermeister, dann Landtagsabgeordneter, wir brauchen Leute wie dich. Arbeiter, anständig, Antinazi. Ein Widerstandskämpfer zum Vorzeigen. Was machst denn bei den Kommunisten. Dort wirst nie was.

Hans wollte nichts werden. Außerdem, da waren auch die Toten. Da war Hermann Plackholm, der ihn nicht verraten hatte. Wie Hans von dessen Frau erfuhr, war Plackholm sieben Monate vor Kriegsende vor mehreren hundert Wiener Feuerwehrmännern wegen Feindbegünstigung und Hochverrat erschossen worden. Kommunisten hat man wegen mir gefoltert, jetzt kann ich ihnen doch nicht in den Rücken fallen. Also ein neuer Bürgermeister. In den Gemeinderat wurde Hans noch jahrelang gewählt. Nach seinem Rücktritt begann er wieder in den Steyr-Werken zu arbeiten; nach dem Oktoberstreik von 1950 wurde er wie Hunderte andere auch *gemaßregelt*. Hans hatte dem Steyrer Streikkomitee angehört, das sich gegen Teuerungen und Lohnstopp wehrte. Die Regierung unterstellte den streikenden Arbeitern, einen kommunistischen Putsch anzuzetteln. Der Niederlage der Streikbewegung folgten Massenkündigungen im Werk. Weil er eine Amtsbescheinigung besaß, wonach er als Verfolgter des Nazi-Regimes anzusehen sei, durfte Hans nicht entlassen werden. Aber er wurde versetzt, erhielt unter fadenscheinigen Vorwänden Arbeit auf einem Holzplatz. Dort holte er sich eine Gallenblasenentzündung und Lungenblähung, langwierige Krankheiten, die er mit viel Geduld auskurierte.

Sofort nach Kriegsende, kaum daß die Verbindung herzustellen war, hatte Hans mit Erlaubnis der Amerikaner den Bürgermeister von Hopfgarten angerufen.

Es knatterte und krachte in der Leitung, dreimal wurde das Gespräch unterbrochen.

Ist Ihnen eine Adlersburg, Sidonie, bekannt. Zwölf Jahre muß sie jetzt sein.

Und auf der anderen Seite der Leitung: Wer sind Sie überhaupt. Was wollen Sie denn.

Der Pflegevater, wollte Hans sagen. Die Wahrheit möchte ich wissen. Aber der Ton machte ihn stutzig. Ich bin der Bürgermeister von Sierning, der Heimatgemeinde des Mädchens.

Spürbare Erleichterung. Ihnen kann ich es ja sagen. Im Vertrauen, von Kollege zu Kollege. Aber damit wir uns verstehen: Falls die Pflegemutter bei Ihnen nachfragen sollte – kein Wort! Das Mädchen ist weggekommen, mit dem letzten Transport nach Auschwitz.

Ihm fiel der Hörer aus der Hand.

Was ist denn, sind Sie noch da?

Hans brüllte vor Wut und Schmerz, daß der amerikanische Offizier neben ihm erschrocken auffuhr.

Noch hofften Josefa und er, das Mädchen lebend wiederzusehen. Auf ihr Begehren richtete die Bezirkshauptmannschaft Steyr, Jugendamt Steyr-Land, eine Anfrage an den Gendarmerieposten Hopfgarten, *ob die mj. Sidonie Adlersburg (Berger) noch dort im Aufenthalt ist, unter welcher Anschrift, oder wann und wohin sie weggebracht wurde.* Über ein Jahr später, Mitte Mai 1947, erhielten sie vom Wiener Polizeikommissariat Floridsdorf Nachricht. Eine gewisse Helene Gruber, die einen schwachsinnigen Eindruck mache und von ihren Verwandten als nicht normal angesehen werde, habe behauptet, Sidonie sei im Lager an Flecktyphus gestorben. Das Kind sei ihr sehr gut in Erinnerung. Es soll, bevor es nach Auschwitz kam, irgendwo in Oberösterreich bei einem Bauern in Kost gewesen sein. Noch ehe dies Hans und Josefa mitgeteilt wurde, bemühte sich die Beamtin des Jugendamtes um einen Enthebungsbeschluß. Im August 1947 wurde das Amt vom Bezirksgericht Steyr *infolge Ablebens der mj. Sidonie Adlersburg* von der Vormundschaft enthoben und aufgefordert, sein Dekret binnen acht Tagen zurückzustellen.

Hans Breirather war ein Störenfried, nicht bereit, einen Schlußstrich unter das Vergangene zu ziehen. Alles vorbei und vergessen. Reden wir nicht mehr darüber. Das Leben geht weiter. Aber er blieb ein Dickschädel, hätte den Mord an seiner Pflegetochter erst verwunden, wenn das öffentliche Schweigen dem leisen Eingeständnis gewichen wäre: Das ist passiert. Wir haben es zugelassen. Eine einfache Gedenktafel zum Beispiel, ein Mahnmal.

Nichts.

Im Gemeinderat wurde er niedergeschrien, als er die Aufstellung eines neuen Kriegerdenkmals kritisierte. Spinner. Querkopf. Alter Tepp.

Irgendwann gab er es auf.

Ich laß mich doch nicht auslachen.

Josefa und er blieben allein mit ihrem Schmerz. Zuspruch gab es kaum. Einmal traf Hans den ehemaligen Gefängnisseelsorger von Garsten, der ihn und Josefa einst mit christlicher Inbrunst zum Sakrament der Ehe gezwungen hatte. Arthofer war 1941 von den Nazis nach Dachau gebracht worden und hatte das Konzentrationslager mit knapper Not überlebt. Jetzt entschuldigte er sich bei Hans für seinen früheren Fanatismus, ließ Josefa ausrichten, daß er tief in ihrer Schuld stehe.

Andere schämten sich nicht einmal. Die Krobath blieben im selben Haus wohnen, einen Stock tiefer, taten, als sei nichts geschehen. Hans und Josefa wurden neben ihnen alt. Man ging sich aus dem Weg, grüßte über die Schulter hinweg, in die Augen sah man sich besser nicht. Korns Spuren verloren sich nach dem Krieg; denkbar, daß sie in der Privatwirtschaft unterkam, eine tüchtige Sekretärin, die bei ihrer Pensionierung vor versammelter Belegschaft geehrt wurde, Firmenrente, ein Geschenkkorb der Unternehmensleitung. Cäcilia Grimm lebt heute noch, sie ist sich keiner Schuld bewußt. Was hätte man damals auch anderes machen können. Erschrocken sei sie nur im Februar vierundvierzig gewesen, beim ersten schweren Luftangriff auf Steyr. Eine Bombe hatte auch das Haus in der Enge Gasse getroffen, in dem das Jugendamt untergebracht war. Nach der Entwarnung habe sie sich zusammen mit Frau Korn daran gemacht, die größten Spuren der Verwüstung zu tilgen. Aufs Geratewohl suchten die zwei Frauen zwischen den Trümmern und Holzsplittern nach Akten.

Endlich habe sie die Mappe gefunden, die den Schriftverkehr in Sachen Sidonie Adlersburg enthielt. Verdreckt, aber unversehrt; ihr sei ein Stein vom Herzen gefallen. Aus dem Akt gehe ja einwandfrei hervor, daß sie dem Mädchen immer nur das beste Zeugnis ausgestellt habe. Wäre er in Verlust geraten, hätte man ihr nachher, nach dem Zusammenbruch, gar noch einen Strick gedreht, ihr womöglich alles in die Schuhe geschoben. Schlimm genug, daß sie durch die Entnazifizierung ihre Stelle verloren habe, ein Jahr, dann hätte sie wieder arbeiten dürfen. Aber da war sie schon Lehrersgattin, die das nicht nötig hatte.

In Letten wurden Hans und Josefa weiter gegrüßt. Man sprach mit ihnen. Alle taten, als habe es Sidonie nie gegeben.

Hans Breirather starb am zwanzigsten Mai 1980. Auf den Gedenkstein im Steyrer Urnenhain ließen seine Frau, Manfred und Hilde auch den Namen von Sidonie Adlersburg setzen: *1933–1943 gestorben in Auschwitz.*

Dann bemühte sich Manfred, das Schweigen um das Mädchen zu brechen. Weil auch er Kommunist geworden war, schlug dem Mann, der nach dem Krieg in den Polizeidienst getreten war, eher noch größeres Mißtrauen entgegen. Dann müßten die Opfer des Bolschewismus ja auch. Eines Tages verspürte er den Drang, jemandem sein Herz auszuschütten. Er suchte den Kaplan von Sierninghofen auf, fing an zu erzählen, der andere starrte ihn verstört an, wie ein Gespenst, da hab ich es gleich wieder gelassen. Der hat gar nichts gesagt, mich nur so angeschaut.

Bis vor zehn, fünfzehn Jahren hielten Zigeuner auf dem Steyrer Stadtplatz jährlich eine Teppichschau ab. Einmal schlenderte Manfred an den Ständen vorbei, blieb dann und wann stehen, nahm das Ende eines Perserteppichs zwischen Daumen und Zeigefinger, alles echt, Herr Inspektor, schlug lachend ein besonders günstiges Angebot aus. Zufällig hörte er den Namen Adlersburg. Er horchte auf, fragte nach, erzählte von seiner Ziehschwester. Ein älterer, korpulenter Mann sagte, er könne sich an das Kind erinnern. Kränklich sei es gewesen, deshalb habe seine Cousine das Mädchen beim Krankenhaus zurückgelassen.

Jahre später erfuhr Manfred, daß der pensionierte Volksschuldirektor Max Danner an einem Sierninger Heimatbuch arbeite. Er wies den Mann auf das Schicksal des Mädchens hin. Sehr interessant. Als das Buch erschien, suchte Manfred zwischen all der akribischen Auflistung von Bränden, Blatternepidemien, Liedertafeln und Unwettern vergeblich die Spuren der Sidonie Adlersburg. Zu den Zigeunern notierte der Verfasser des Werks mit grausamer Kälte und geringem Sachverstand: *In der Zeit des Zweiten Weltkriegs mußten die Zigeuner ihr Leben in Konzentrationslagern verbringen, weil sie als Mischvolk in ihrer Abstammung der nichtarischen Bevölkerung Indiens nahestanden.*

Schließlich wandte sich Manfred an seinen Cousin, den Sierninger Bürgermeister und Landtagsabgeordneten Josef Breurather. Warum soll ich erst zum Schmiedl gehen, wenn ich den Schmied kenne. Die versprochene Inschrift an der Sierninger Friedhofsmauer kam nicht zustande. Es bedurfte der Umtriebe des Chronisten, bis das Netz des Schweigens zerriß. Halblautes Erinnern. Richtig, da war doch was. Funktionären der Sozialistischen Jugend von Letten kam es schließlich in den Sinn, an der Fassade ihres Heimes eine Steintafel anzubringen. Im Gedenken an.

Sidonies Pflegemutter starb, als sie im achtundachtzigsten Lebensjahr stand. Verwunden hat sie das Schicksal des Mädchens bis zuletzt nicht. Das ist so ein Herzweh. So ein Herzweh ist das. Auch heute noch. Gerade sie suchte die Schuld bei sich. Hätte ich die Sidi nur nie genommen. Wer weiß.

11

Sie sei nicht an Typhus – an Kränkung ist sie gestorben.

Ende November achtundachtzig, an einem verschneiten Vormittag, sitzt dem Chronisten in einem Wiener Vorstadtcafé ein untersetzter, knapp sechzigjähriger Mann gegenüber. Anfangs sind sie die einzigen Gäste; später, gegen Mittag, füllt sich das Lokal mit Verkäuferinnen aus den umliegenden Läden, Buchhaltern und Vertretern, die achtlos in ihrer Kaffeeschale rühren und Zeitung lesen, Geisterfahrern und Bankräubern knapp auf der Spur. Der Mann am Tisch des Chronisten heißt Joschi Adlersburg und versucht sich zu erinnern, wo er seiner Schwester zum ersten Mal begegnet ist. In Hopfgarten? Unter dem Verdeck des Lastwagens, auf dem er zusammen mit den anderen Zigeunern nach Innsbruck gebracht wird? Oder erst dort, in einer Zelle des Polizeigefängnisses, wo man ihn fotografiert, von vorn, von der Seite, im Halbprofil? Joschi, erinnere dich!

Er erinnert sich. An ein verängstigtes, stummes Kind, das manchmal, wenn es sich nicht beobachtet glaubt, einen scheuen Blick auf die Mutter wirft, auf ihn und den fünfjährigen Bruder Sandor. Er erinnert sich an eine blonde Puppe. An haltloses Weinen. An ein zartes Mädchen, das nicht essen will.

Sie hat immer wieder nach ihren Zieheltern gerufen. Mama! Papa! Wir haben sie angelogen. Wenn du brav aufißt, darfst du zu ihnen zurück. Aber nichts! Im Zug ist sie immer am Fenster gestanden, zwei Tage, zwei Nächte lang.

Fahrtziel unbekannt. Einer der Männer, die sie mit schußbereiten Gewehren zum Bahnhof treiben, verspricht ihnen das Blaue vom Himmel herunter: Euch wird's nicht schlecht gehen. Ihr bekommt Land, viel Land. Schluß mit dem Herumzigeunern! Und er lacht.

Sidonies Puppe. Joschi erinnert sich. Als der Zug endlich steht, im Morgengrauen, sind Schreie um sie, Hunde und Peitschen. Jemand schlägt ihr die Puppe aus dem Arm. Noch ehe sich Sidonie bücken kann, tritt ein Mann in schwarzer Uniform auf den Puppenkopf.

Mit einem Fetzen haben wir sie verbunden. Deine Puppe ist krank, Sidi. Du mußt tüchtig essen, damit sie wieder gesund wird. Damit du wieder nach Hause fahren kannst.

Aber Sidonie ißt nicht. Sie versuchen ihr die Wassersuppe einzuflößen, stecken ihr ein Stück Brot zwischen die Zähne. Sidonie weint immer noch, lautlos, ohne Tränen, es schüttelt sie.

Birkenau, Block 5. In der Mitte der Baracke ein gemauerter Kamin, daneben ein Pfeiler. Dort steht sie, tagsüber und auch nachts.

Eines Abends hab ich sie endlich überreden können. Du mußt dich hinlegen, Sidi, schlafen. Ich habe sie zu unserer Pritsche geschleppt, sie hat sich nicht mehr gewehrt. Sie ist gleich eingeschlafen.

Gegen Morgen wird Joschi wach, stößt die Mutter an. Siehst du, jetzt schläft sie. Die Frau greift nach dem Mädchen. Da ist es schon kalt.

Hier endet die Geschichte, hier fängt sie wieder an. Stellen wir uns noch einmal eine Ortschaft vor, an einem Fluß gelegen, der klares Gebirgswasser führt, und bewohnt von sogenannten ›kleinen Leuten‹ – Arbeitern zumeist, die in den Kohlengruben schuften; vielen, die ihre Arbeit verloren haben und kaum wissen, wie sie zu ihrem täglichen Brot, und schon gar nicht, wie sie zur Butter auf dieses tägliche Brot kommen. Nehmen wir an, daß trotz der widrigen Umstände ein großer Zusammenhalt unter den Menschen besteht, daß sie einander helfen und aushelfen, wann immer es not tut. Das ist manchen ein Dorn im Auge, sie versuchen die Bewohner auseinanderzubringen, mit Drohungen und Versprechen, Verboten und Verlockungen – allein es gelingt nicht. Nehmen wir ferner an, es kommen andere, große Zeiten, auch für die Ortschaft, Aufschwung durch Rüstung, Arbeit durch Krieg; daß der Aufschwung den Tod anderer voraussetzt oder zur Folge hat, läßt sich eine Zeitlang verschweigen – außerdem: das Hemd ist den meisten näher als der Rock.

Haben wir uns dies vorgestellt, wenden wir uns einem besonderen Ereignis zu, das so besonders nicht ist, weil es häufig passiert in jenen Jahren der Not, die dem Aufschwung vorausgehen, nämlich: in der Ortschaft ist ein Mädchen weggelegt worden, bald nach der Geburt, die Mutter unauffindbar, das Kind braucht Pflege. Deshalb nimmt sich ein Ehepaar des Mädchens an, behandelt es wie sein eigenes Kind, sorgt mit all seinen Kräften und beschränkten Mitteln dafür, daß es ihm gutgeht, kleidet und nährt es.

Notwendiger Einschub, unerheblich für die Pflegeeltern, aber nicht für die Behörde, zumal nach dem Einbruch der großen Zeiten: das Mädchen stammt sichtbar von Fahrenden ab, es hat eine dunkle Hautfarbe, die sich trotz eifrigsten Waschens nicht aufhellen läßt. Das Mädchen ist, verwenden wir dieses Wort: eine Zigeunerin.

Nehmen wir weiters an, weil es auch seine Wichtigkeit hat, daß der Pflegevater Arbeiter sei und nicht nur das: zu wissen glaubt, daß sein Wohlergehen – und das seiner Familie – gebunden ist an das Wohlergehen aller. Daß es keine kleine Freiheit gibt ohne die große. Die ganze Familie hat, wie man so sagt, einen ausgeprägten Gerechtigkeitssinn, steht also links. Das ist ehrenvoll, aber innerhalb wie außerhalb der Ortschaft nicht selbstverständlich, eher die Ausnahme. Es bringt auch nichts ein, außer: Mißtrauen, Verfolgung, Gefängnis, Gefahr. In den großen Zeiten: Lebensgefahr.

Außerdem wären diese großen Zeiten zu beschreiben hinsichtlich dessen, was sie manchen, die anders sind, bringen, nämlich den Tod. Das könnte auch, vermuten wir, auf dieses Zigeunermädchen zutreffen, das sein Anderssein ja nicht verbergen kann, etwa indem es sich eine weiße Haut überzieht oder die Haare färbt; selbst so bliebe es gefährdet, denn: auch wer sich zum Lamm macht, wird von den Wölfen gejagt.

Vorstellbar, daß die Ortschaft in den Jahren der großen Zeiten zerfällt in solche, die mit den Wölfen heulen, und solche, die schweigen. Diese gibt es kaum; jene sind zuhauf. Denkbar also, daß Stimmen laut werden, die verlangen, daß das Mädchen weggeschafft werde, sein Anblick sei störend, der Zustand unhaltbar. Jahre vergehen, die großen Zeiten sind immer noch groß, es wird viel gestorben im Krieg, ein Heldentod folgt dem andern, bei manchen scheint sich bereits eine Ahnung vom Ende der großen Zeiten, ein Anflug von Zweifel einzustellen. Das schafft Unsicherheit, der Schmerz über den Tod von Vätern und Söhnen, draußen an der Front, in Feindesland, schlägt um in doppelte Wut auf alle, die anders sind. Auf das Mädchen zum Beispiel.

Jetzt kommt, behaupten wir, plötzlich, wie aus heiterem Himmel, Nachricht von einer Behörde an die andere, für das Mädchen zuständige: deren leibliche Mutter sei aufgegriffen worden, habe ihre Mutterschaft auch eingestanden, Frage demnach: soll das Kind der Frau zugeführt werden (wenn ja: baldmöglichst!) oder ausnahmsweise bei den Pflegeeltern bleiben. Notwendiger Hinweis: Jetzt geht es um Leben oder Tod. Das weiß, im fünften Jahr der großen Zeiten, sagen wir: 1943, jeder; auch die zuständige Beamtin weiß es, nur sagt sie es nicht. Sie hat Angst, will nicht selbst entscheiden. Begreiflich, auch wenn das nicht für sie spricht. Also wendet sie sich an sogenannte Autoritätspersonen, sprich: den Bürgermeister der Gemeinde, zu der die Ortschaft gehört; den Direktor der Volksschule, die das Mädchen besucht; ihren Vorgesetzten, den Landrat des Bezirks.

Was ist zu erwarten. Feigheit, Anschwärzen, vorauseilender Gehorsam. Etwa: der Bürgermeister (der das Mädchen selbstverständlich kennt und auf seine Art gern hat) meint, es sei doch besser, wenn das Kind zu seiner richtigen Mutter komme, denn hier bleibe es immer ein Fremdkörper, allein schon seines Aussehens wegen. Entschlossenes Handeln sei zudem angebracht, da die Pflegemutter gedroht habe, sich mitsamt dem Mündel zu den Partisanen nach Jugoslawien durchzuschlagen, sollte ihr die Obhut über das Mädchen entzogen werden. Etwa: der Schuldirektor merkt an, daß es für sein Alter früh entwickelt sei und die Geschlechtsreife, auch wenn dies die Minderjährige in Abrede stellt, sicher schon eingesetzt habe. Etwa: der Landrat gibt zu bedenken, daß die Pflegeeltern zwar bereit seien, das Mädchen auch ohne Pflegegeld bei sich zu behalten und späterhin für eine Berufsausbildung aufzukommen, daß aber dem Pflegevater, der sich früher im kommunistischen Sinne betätigt habe, etwas zustoßen könne, und dann liege das Kind wieder der Behörde auf der Tasche. In der Ortschaft sei ungewiß, wie die weitere Zukunft des Mädchens ausfallen werde. Es könne hier nie heiraten (Einschub: das Mädchen ist zu diesem Zeitpunkt keine zehn Jahre alt), bekomme es Kinder, würden diese der Gemeinde nur zur Last fallen und eben immer Zigeunerkinder bleiben.

Solche und ähnliche Urteile und Auskünfte, haben wir gesagt, seien also zu erwarten. Zu erwarten wäre dann auch das künftige Schicksal des Mädchens: Überstellen an den Ort, an dem seine Mutter gezwungen ist, Aufenthalt zu nehmen. Völlige Fremdheit und Verwirrung des Kindes, das nicht begreift, wie ihm geschieht. Seine Angst vor der Mutter, die es nicht kennt; es hat ja nur eine Mutter, und das ist die Pflegemutter, die Trennung zerreißt beiden das Herz. Der Abtransport des Mädchens in ein Vernichtungslager, nennen wir es Auschwitz-Birkenau. Die eintätowierte Nummer, nennen wir sie: Z 6672. Die Erniedrigung. Der Hunger. Die Kälte. Der Tod, sagen wir: wenige Wochen nach der Ankunft.

Was ist nicht zu erwarten. Als sich die Beamtin der Behörde ratsuchend an Bürgermeister und Schuldirektor wendet, stellen beide dem Mädchen wie den Pflegeeltern nur das beste Zeugnis aus. Diese würden sich ihres Schützlings innigst annehmen, das Kind sei aufgeweckt, folgsam, fröhlich, trotz seiner Jugend verantwortungsbewußt, beliebt im ganzen Ort. Komme es fort, sei nicht abzusehen, wie die Bewohner reagieren würden. Ein Sturm der Entrüstung wäre die Folge. Viele würden sich

von den Zielen der Bewegung und vom Führer der großen Zeiten abwenden. Es bestehe absolut keine Veranlassung, das Mädchen seinen Pflegeeltern wegzuneh-
men. Und das Wunder (nennen wir es so) tritt ein: das
Kind verbleibt in der Obhut des Ehepaars, überlebt die
großen Zeiten, die zwei Jahre später zusammenbrechen.

Aber so darf die Geschichte nicht ausgehen. Zu
lebensfremd, dieses Ende einer Erzählung, die zwar
glaubhaft anhebt, aber irgendwann – an der Stelle, wo
Mut und Selbstachtung aller Beteiligten nötig sind –
zum Märchen wird. Und doch besteht einer, der es wissen muß und Joschi Adlersburg heißt, darauf, daß sich
auch das nicht zu Erwartende zugetragen hat, nicht in
Letten, sondern 160 Kilometer weiter südlich, in der
Steiermark, in einer Ortschaft namens Pölfing-Brunn,
das Kind hieß nicht Sidonie, sondern Margit und lebt
heute noch, eine Frau von 55 Jahren, und kein Buch muß
an ihr Schicksal erinnern, weil zur rechten Zeit Menschen ihrer gedachten.